VOCÊ AGUENTA
SER FELIZ?

Arthur Guerra
e Nizan Guanaes

VOCÊ AGUENTA SER FELIZ?

Copyright © 2022 por Arthur Guerra e Nizan Guanaes

Todos os direitos reservados. Nenhuma parte deste livro pode ser utilizada ou reproduzida sob quaisquer meios existentes sem autorização por escrito dos editores.

redação dos textos de Arthur Guerra: Marcia Di Domenico
preparo de originais: Sibelle Pedral
revisão: Pedro Staite e Tereza da Rocha
diagramação: Valéria Teixeira
capa: Rodrigo Rodrigues
foto de capa: Léo Ramos
impressão e acabamento: Associação Religiosa Imprensa da Fé

CIP-BRASIL. CATALOGAÇÃO NA PUBLICAÇÃO
SINDICATO NACIONAL DOS EDITORES DE LIVROS, RJ

G963v

Guerra, Arthur
　　Você aguenta ser feliz? / Arthur Guerra, Nizan Guanaes. - 1. ed. - Rio de Janeiro : Sextante, 2022.
　　224 p. ; 23 cm.

　　ISBN 978-65-5564-466-1

　　1. Fobias - Obras populares. 2. Ansiedade - Obras populares. 3. Saúde mental - Obras populares. 4. Técnicas de autoajuda. I. Guanaes, Nizan. II. Título.

22-78879　　　　　　　　　CDD: 158.1
　　　　　　　　　　　　　CDU: 159.947.2

Meri Gleice Rodrigues de Souza - Bibliotecária - CRB-7/6439

Todos os direitos reservados, no Brasil, por
GMT Editores Ltda.
Rua Voluntários da Pátria, 45 – Gr. 1.404 – Botafogo
22270-000 – Rio de Janeiro – RJ
Tel.: (21) 2538-4100 – Fax: (21) 2286-9244
E-mail: atendimento@sextante.com.br
www.sextante.com.br

*A Daniela, minha esposa, pelo apoio e
pela paciência com o chato que sou.*

— Arthur

*A Arthur Guerra e a toda a sua equipe,
minha gratidão eterna.*

A Donata, motivo pelo qual fiz tudo isso.

— Nizan

Sumário

Uma palavra antes de começar — 9

PRÓLOGO — 11

INTRODUÇÃO
"Você vai morrer se continuar assim" — 13
Poema em linha reta — 23
Esta é a sociedade do sucesso e da vitória — 25

CAPÍTULO 1
Não existe saúde sem saúde mental — 29
Cuidar da saúde mental é coisa dos nossos tempos — 52
Ruminações: eu conversando comigo mesmo — 55

CAPÍTULO 2
Uma psiquiatria mais positiva — 59
Rotina não é prisão, é liberdade — 78

CAPÍTULO 3
Autocuidado, um passo que só você pode dar — 81
Ser feliz é ter tempo para a vida — 102

CAPÍTULO 4
  Esporte é o melhor remédio — 107
  Nem fodendo! — 125

CAPÍTULO 5
  Como as emoções influenciam a alimentação (e vice-versa) — 129
  Você tem fome ou está comendo suas emoções? — 141

CAPÍTULO 6
  Sono: sinal de alerta da saúde mental — 145
  Quer realizar seus sonhos? Primeiro, vá dormir — 163

CAPÍTULO 7
  Cultivar bons relacionamentos é a receita para ser feliz e viver mais — 167
  É impossível ser feliz sozinho — 183

CAPÍTULO 8
  Mitos e riscos do uso de álcool e substâncias para relaxar — 189
  Cuidado para não virar um porre por causa da bebida — 206

Sua vez — 211
Você é o próximo capítulo deste livro — 214
Você aguenta ser feliz? — 217
Agradecimentos — 221

Uma palavra antes de começar

ARTHUR GUERRA

Neste livro, Nizan e eu tentamos oferecer soluções viáveis para problemas complexos, como são os da saúde mental. Sabemos que a maioria dos transtornos mentais é de difícil diagnóstico, difícil abordagem, difícil tratamento e há chances de recaída. Longe de banalizar ou simplificar os problemas de saúde mental, nossa principal intenção foi sugerir saídas para situações que costumam se tornar crônicas, isto é, que demoram muito para ser tratadas. Além disso, nesse campo, o abandono do tratamento e mesmo o abandono da vida por meio de suicídio são desfechos que infelizmente não conseguimos controlar. Se Nizan e eu pudermos contribuir, mesmo que de maneira superficial, para evitar um caso de insucesso, estaremos nós dois, cada um a seu modo, realizados.

Prólogo

NIZAN GUANAES

Num mundo em disrupção, Arthur Guerra é a disrupção em pessoa. Eu, que todos os dias, às 6 da manhã, subo na balança, tiro uma foto do meu peso e mando para ele pelo celular, sei bem. Por meio do peso Arthur monitora meu humor, minha ansiedade. Este livro traz um novo olhar sobre essa psiquiatria 5G.

Sem nunca criticar a psiquiatria tradicional, ele avança para ajudar seres modernos a enfrentar problemas modernos, como o vício dramático em celular e outras telas, a dependência de remédios para dormir, etc.

Se você pudesse presenciar uma consulta minha com ele, ficaria perplexo ao ver meu psiquiatra desenhando a minha agenda de maratona. No início eu não entendia, mas meu corpo compreendeu antes de mim: ele me livrou dos benzodiazepínicos me botando pra correr. É genial.

Com este livro, Arthur dá acesso a essa visão tão moderna e tão alinhada com tudo que eu leio no The New York Times. Meus papos com ele contêm às vezes pérolas, como a pergunta inesquecível que dá título a este livro: "Nizan, você aguenta ser feliz?"

Vivemos na era da saúde mental. O assunto está no centro do debate e no olho do furacão. É só entrar no feed e no story do Instagram, ou em qualquer live da Forbes, *para ver que Guerra usa mais uma vez instrumentos contemporâneos para falar com os atribulados seres modernos.*

Arthur traduziu a psiquiatria para o mundo das compulsões em games e compras on-line. E nós traduzimos Arthur Guerra para o português. Este livro nasceu em divertidas sessões de Zoom entre um editor que acredita em autoajuda, um publicitário paciente e um dos maiores psiquiatras do país. Eu espero, caro leitor, que você não só leia, mas espalhe este livro.

Não é sobre doença, mas sobre saúde, corrida, alimentação, sono. Como diz o maravilhoso escritor maior japonês e maratonista Haruki Murakami, toda alma doente precisa de um corpo são.

Nestas páginas, Guerra descreve um novo caminho para o desafio de correr atrás da felicidade. Ele quer que a gente corra atrás dela de tênis. É fácil? Não, e não tem linha de chegada.

Essa ultramaratona se chama vida.

INTRODUÇÃO

"Você vai morrer se continuar assim"

ARTHUR GUERRA

Fortaleza, novembro de 2014. A cidade sediava o Ironman, a principal e mais desafiadora competição de triatlo do mundo. O mar estava bravo naquela manhã, e por causa do forte calor, comum durante a maior parte do ano na cidade, os atletas não podiam nadar usando roupa de neoprene. Para quem não é bom nadador, isso pode ser motivo de desespero. E eu não sou – só fui aprender aos 55 anos, quando decidi que queria evoluir das maratonas para o triatlo. O traje de tecido emborrachado não só ajuda o corpo a deslizar na água, diminuindo o esforço necessário para se deslocar no mar, como também faz com que você flutue no caso de ter câimbra ou se sentir extenuado a ponto de não aguentar mais nadar.

O triatlo compreende três modalidades – natação, ciclismo e corrida: você tem que nadar 3,8 quilômetros em águas abertas (mar, rio ou lago), pedalar 180 quilômetros e correr 42,195 quilômetros, a distância de uma maratona. Tudo no mesmo dia e sempre nessa ordem. Certa vez ouvi uma frase interessante sobre a experiência do Ironman: "Muitos não correm o que eu nado, não pedalam o que eu corro e não dirigem o que eu pedalo." O comentário mostra como esse é um evento que nos coloca à prova física e mentalmente.

Eu aguardava inseguro a largada enquanto olhava as ondas enormes que se formavam longe da praia e pensava em como iria conseguir vencê-las. O objetivo era nadar até uma escuna ancorada a cerca de dois quilômetros da costa, contorná-la e voltar para completar a etapa de natação antes de encarar o ciclismo e, por último, a corrida. O coordenador da prova e meu colega do esporte, Carlos Galvão, talvez percebendo meu nervosismo, se aproximou e disse: "Você vai conseguir, Arthur. Você treinou para isso." Fui. Com medo, imprimindo um esforço enorme a cada braçada, atravessei as ondas e cheguei até metade da distância prevista. Ali, um rapaz dentro do barco de apoio da prova – apelidado de "vassourinha" porque ia "varrendo" os atletas que, cansados, deixavam a competição – me esperava com o braço estendido, pronto para o resgate, provavelmente vendo no meu rosto e nos meus movimentos que eu não aguentaria até o final. "Já deu, né, campeão?", ele perguntou carinhosamente enquanto me estendia a mão. Eu estava quase aceitando a ajuda quando olhei para ele e algo mais forte me fez recusá-la, como se uma voz interior me dissesse: "Não desista." Não desisti. Continuei nadando até chegar à praia, para então subir na bicicleta e terminar a prova, exausto e desidratado, mas vivo e feliz.

Você já passou por algum desafio, não necessariamente ligado ao esporte, que pensou não ser capaz de superar – e então conseguiu?

Sou médico e atleta amador. Sempre gostei de desafios. Como psiquiatra, atendo pacientes com todo tipo de questão de saúde mental, mas inicialmente me especializei no tratamento de pessoas com histórico de abuso de álcool e drogas. Atuo nessa área há mais de quarenta anos e nela me tornei referência no país. Quando comecei minha carreira, ouvi de colegas e professores que seria difícil crescer e me destacar, uma vez que dependência química não é uma especialidade dentro da psiquiatria. Além do mais, pacientes com esse perfil têm quadros complexos, e poucos médicos tinham muita experiência em cuidar deles naquela época. Como um profissional em início de carreira poderia se lançar assim em um terreno desconhecido e dar certo? Pois foi justamente o desafio de desenvolver algo novo driblando tantos "nãos" que me impulsionou.

O mesmo tipo de sensação, de gostar de me sentir desafiado, me levou ao triatlo. Já participei de cinco provas no total, mas, como esportista, aquele evento em Fortaleza, meu quarto Ironman, foi o mais difícil. Senti medo e passou pela minha cabeça desistir da competição. O que ficou foi a sensação de superação: depois daquele dia, sinto que posso enfrentar e vencer muitos outros desafios no esporte, desde que eu esteja devidamente treinado.

A maior parte dos pacientes que atendo no consultório tem perfil de uso nocivo de bebida alcoólica e drogas, principalmente remédios, mas também cuido de pessoas com depressão, transtornos de ansiedade, distúrbios de sono e outras dificuldades de saúde mental. Minha abordagem, porém, tem se diferenciado daquela que a maioria dos meus colegas utiliza. Cada vez mais ofereço aos pacientes um tratamento baseado num estilo de vida saudável, voltado para a prática de atividade física, o cuidado com a alimentação e a qualidade do sono. Também busco o controle do uso de substâncias tóxicas (como álcool, cigarro e remédios), o manejo do estresse e o cultivo de relacionamentos saudáveis. Esses são os pilares da Medicina do Estilo de Vida, uma linha de trabalho que propõe a adoção de bons hábitos para prevenir, tratar e por vezes reverter doenças crônicas.

Não é novidade que fazer exercícios é um bom caminho para se ter saúde e qualidade de vida. Há pelo menos trinta anos a medicina tem evidências de que essa estratégia funciona para a pessoa viver melhor e evitar doenças, ainda mais quando combinada com outros hábitos saudáveis e uma rotina com menos estresse e mais prazer. Olhando por esse ângulo, não vou apresentar aqui nenhuma grande descoberta ou terapia inovadora de saúde mental, já vou logo avisando. Ainda assim, acho que não deixa de ser revolucionário propor que, dentro do possível, se troquem remédios por esportes. Não sou contra medicamentos. Em muitos casos eles são úteis e necessários, e é claro que os prescrevo nessas situações. Na minha opinião, porém, eles algumas vezes são usados em exagero na psiquiatria.

Adotei esse modelo de trabalho há mais ou menos 15 anos, desde que passei, eu mesmo, a treinar com regularidade e observar as mudanças positivas que isso trouxe para a minha vida. Eu estava com 52 anos e comecei a fazer musculação e correr depois de um puxão de orelha que levei do meu filho, na época com 20 e poucos anos, me alertando sobre meu péssimo condicionamento físico. Sempre gostei de esportes, e cheguei a competir como atleta federado de basquete nos tempos do colégio e da faculdade. No entanto, a vida agitada e o grande volume de trabalho que fui acumulando ao longo dos anos me afastaram das quadras e de qualquer outra atividade física, exatamente como acontece com tanta gente. Vou contar mais adiante sobre minha relação com o esporte e como se deu essa virada de médico sedentário para médico corredor, maratonista e triatleta. O fato é que muita coisa mudou para melhor: perdi peso, ganhei autoestima, um novo propósito e muitos amigos. Fiquei mais disposto, presente e tolerante com as pessoas à minha volta. No trabalho, perdi a fama de chefe implacável, temido pela equipe, e me tornei mais leve, amoroso e próximo de todos. Nada foi intencional, apenas a consequência natural de estar com a vida equilibrada e de bem comigo mesmo.

O compromisso que proponho aos pacientes que vêm se tratar comigo, muitos deles fragilizados, com a autoestima abalada e descrentes de si, é o mesmo que costuma haver entre técnico e atleta – e que fez toda a diferença para mim naquela manhã em Fortaleza. Minha função é ajudar as pessoas a ter uma vida mais plena. Oriento, apoio e mostro que elas podem contar comigo nos momentos de dificuldade. Indico como fazer – por meio da atividade física, de hábitos saudáveis e, sobretudo, de cuidar da cabeça –, mas deixo bem claro que caberá a elas colocar tudo em prática, "entrar no mar" e vencer o medo e os obstáculos que sempre haverá no percurso.

Mudar hábitos não é fácil, sei disso, ainda mais quando há questões de ordem psíquica envolvidas, como ansiedade, angústia, depressão, dependência, compulsão ou qualquer outro tipo de sofrimento. Quando o processo inclui fazer exercícios e, ainda por cima, com o objetivo de participar de competições, como sugiro à maioria dos pacientes, o desafio é imenso. Além do treinamento físico, é preciso ter preparo mental para entender que nem tudo são vitórias, recordes e medalhas; também pode haver dor, lesão, frustração e derrota. Sem contar as vezes que não se consegue terminar a prova! Exatamente como na vida: não há só momentos de sucesso e alegria. É preciso ter coragem para enfrentar também a decepção, seguir em frente apesar das limitações e cultivar a sabedoria para transformar problemas em aprendizado. O esporte é um estímulo poderoso para cuidar não só da saúde física mas também da saúde mental, porque traz autoconhecimento, sem o qual não dá sequer para saber o que nos faz felizes.

Gosto de pensar que cuidar da saúde mental é como andar de bicicleta: exige esforço e movimento constantes, senão ela tomba. Em outras palavras, para viver bem, temos que trabalhar a nosso favor, sempre e sem parar. Essa responsabilidade é de cada um. Não dá para terceirizar.

Meu jeito de fazer com que os pacientes entendam essa mensagem e se sintam encorajados a tomar as rédeas da própria felicidade inclui um pouco de provocação e desafio, vamos dizer. Alguns acham que sou duro demais quando digo "Você vai morrer se continuar assim", mas é a pura verdade. Na minha opinião, muitos que abusam de bebida, remédios para dormir ou outras drogas, ou que só pensam em trabalho, têm vícios (ainda que esse termo esteja em desuso na medicina, por ser considerado pejorativo e ter uma conotação de fraqueza moral) e cultivam relacionamentos conturbados ou desrespeitosos, estão cometendo um suicídio lento. Não deixo de dizer isso quando acho que é o caso.

Tenho um paciente de longa data cujos hábitos e comportamentos nocivos, repetidos havia anos, o tinham levado a uma grave situação de saúde. Certa vez perguntei a ele: "Será que você aguenta ser feliz?" Falei isso porque ele era um profissional bem-sucedido, tinha uma família bacana, um amor, bons amigos, dinheiro e prestígio, mas estava em um lento processo de autodestruição porque não se cuidava, comia mal, estava muito acima do peso, trabalhava feito um desesperado e só dormia à base de remédios, ainda que não tivesse qualquer problema com abuso de álcool ou outras drogas. Eu já tinha usado aquela frase antes com outros pacientes, afinal essa é uma postura recorrente. Acontece que aquele era um dos homens mais criativos do país, Nizan Guanaes, que anos mais tarde teve a sensibilidade de traduzir para uma coluna de jornal, publicada com o título "Você aguenta ser feliz?", o que, na verdade, é a realidade de muita gente.

Como Nizan na época, muitas pessoas parecem viver sempre em busca de algo mais, simplesmente não conseguem se satisfazer com o que têm e, a cada meta alcançada, estipulam novos objetivos, mais distantes. Com isso, vão deixando a felicidade para depois enquanto sabotam a si mesmas adotando comportamentos prejudiciais e reclamando do que lhes falta, sem perceber que, na verdade, têm tudo para ser gratas e realizadas. Achei o texto muito preciso, e até hoje o envio a pacientes quando percebo que estão reproduzindo esse modo de agir, na expectativa de que se identifiquem e se sintam motivados pela mensagem assim como Nizan ficou quando ouviu minha frase pela primeira vez.

A coluna repercutiu tanto que nos tornamos parceiros na ideia deste livro. Nizan é um ótimo exemplo de alguém que se reinventou depois que começou a fazer atividade física e, principalmente, correr: passou a se alimentar melhor, parou de fumar e beber, mesmo socialmente, tornou-se maratonista e triatleta, como eu. Muitas pessoas que estão nos lendo conhecem Nizan. Ele é exagerado e, ao mesmo tempo, generoso. Correu três maratonas no intervalo de 14 meses. Para quem não corria nem cinco quilômetros, trata-se de um exemplo maravilhoso, contagiante. Ele também deu uma guinada fantástica na vida profissional. Nizan não conquistou tudo isso porque é meu paciente, mas porque decidiu assumir a responsabilidade de agir para viver melhor e ser feliz. Talvez eu o tenha ajudado na decisão de subir na bicicleta, mas quem mantém o ritmo das pedaladas e o controle do guidão é ele.

Passei a ser procurado por pessoas que, tendo lido aquele texto no jornal, marcaram consulta comigo porque queriam "o tratamento do Nizan", acredite. Mas não existe uma fórmula mágica que funcione para todos. A poetisa Cecília Meireles disse certa vez que "o vento é o mesmo, mas sua resposta é diferente em cada folha". Por mais que os pacientes que atendo tenham um perfil parecido de padrão social, idade e até traços de comportamento semelhantes, nenhum é igual a outro. Cada tratamento é único porque cada indivíduo também é. Se eu repetisse com dez pessoas a mesma "receita" que usei com Nizan, tenho certeza de que teria dez respostas distintas, pois cada uma tem sua personalidade e uma realidade individual, as próprias ambições e os próprios problemas, está em uma fase da vida, gosta de um tipo de esporte, tem uma família que dá mais ou menos apoio. Algumas poderiam se sair até melhor do que ele, outras, pior, mas não se deve esperar que o que deu certo para uma pessoa vá funcionar para todas. Como médico, levo em consideração a singularidade de cada caso ao propor condutas e metas. Ninguém pode se igualar a Nizan Guanaes como profissional – ele é único (como cada um de nós é). Mas você pode se tornar um marido, pai, avô ou amigo tão bom quanto ele. Isso está nas suas mãos. Ou será que nos seus pés?

Não quero soar como guru motivacional, dono da verdade ou romântico sonhador. Sou médico, essa é a minha missão. A abordagem que escolhi usar com meus pacientes consiste em mostrar caminhos que muitas vezes eles sabem que são os corretos, mas precisam de alguém que confirme isso e os apoie durante a jornada, que nem sempre é fácil ou indolor. Para isso combino os saberes da medicina clássica com minha vivência no esporte, minha experiência acadêmica, a participação em muitos projetos nacionais e internacionais e uma equipe multidisciplinar de valor inestimável.

Não vou me aprofundar em diagnósticos de transtornos mentais, mesmo porque isso deve ser feito de maneira individualizada, olhando e escutando cada paciente com respeito e atenção. Meu propósito com este livro é falar de saúde, mais do que de doença, e de como os hábitos e a mentalidade que escolhemos determinam a qualidade da vida que levamos. Cuidar de nós mesmos é o melhor investimento que podemos fazer.

Minha intenção não é substituir uma consulta individual com um profissional de saúde mental. O acompanhamento de um psiquiatra ou psicólogo sempre será útil no processo, assim como se matricular em uma academia ou contratar um personal trainer fará diferença na consistência do treino. Mas nada disso é indispensável. O caminho para se ter mais qualidade de vida pode ser trilhado por conta própria quando não existe uma doença instalada. Muitas pessoas mudam sozinhas diante da percepção de que a vida não está boa e elas sabem o que vai mal. Em casos assim, não é necessário um tratamento de saúde mental, mas uma reeducação de hábitos e comportamentos para se viver melhor.

Nem sempre é fácil, mas é possível. Os melhores resultados são alcançados quando você se coloca como protagonista da sua história. É preciso coragem para olhar para dentro de si e entrar em contato com o que está causando desconforto, mas isso faz parte do processo de reparação que produzirá as mudanças necessárias. De novo, estou falando da importância de ampliar o olhar sobre si e sua trajetória de vida, que é diferente da de todas as outras pessoas, e entender seus verdadeiros objetivos para mudar. Não adianta o médico querer e apontar os caminhos que ele acha que a pessoa deveria seguir. A vontade do indivíduo sempre prevalecerá. Essa consciência é necessária para cada um se responsabilizar por suas escolhas, acolher e tentar aprender com os erros e tropeços e, assim, conquistar uma vida melhor e mais interessante.

Hoje, em quase todas as especialidades médicas, cuidar da saúde pela perspectiva do estilo de vida é o que existe de mais moderno para prevenir e tratar doenças físicas e mentais. Depois de décadas ajudando pessoas doentes, quero alcançar também quem não tem um diagnóstico de saúde mental que esteja atrapalhando a vida neste momento, mas sabe que sempre podemos aprender mais sobre como viver bem. Sabemos que o mundo pode nos adoecer se não fizermos nossa parte para nos mantermos sãos. Vamos juntos?

Poema em linha reta

ÁLVARO DE CAMPOS

Nunca conheci quem tivesse levado porrada.
Todos os meus conhecidos têm sido campeões em tudo.

E eu, tantas vezes reles, tantas vezes porco, tantas vezes vil,
Eu tantas vezes irrespondivelmente parasita,
Indesculpavelmente sujo,
Eu, que tantas vezes não tenho tido paciência para tomar banho,
Eu, que tantas vezes tenho sido ridículo, absurdo,
Que tenho enrolado os pés publicamente nos tapetes das etiquetas,
Que tenho sido grotesco, mesquinho, submisso e arrogante,
Que tenho sofrido enxovalhos e calado,
Que quando não tenho calado, tenho sido mais ridículo ainda;
Eu, que tenho sido cómico às criadas de hotel,
Eu, que tenho sentido o piscar de olhos dos moços de fretes,
Eu, que tenho feito vergonhas financeiras, pedido emprestado sem pagar,
Eu, que, quando a hora do soco surgiu, me tenho agachado,
Para fora da possibilidade do soco;

Eu, que tenho sofrido a angústia das pequenas coisas
    ridículas,
Eu verifico que não tenho par nisto tudo neste mundo.

Toda a gente que eu conheço e que fala comigo
Nunca teve um ato ridículo, nunca sofreu enxovalho,
Nunca foi senão príncipe – todos eles príncipes – na vida...

Quem me dera ouvir de alguém a voz humana
Que confessasse não um pecado, mas uma infâmia;
Que contasse, não uma violência, mas uma cobardia!
Não, são todos o Ideal, se os oiço e me falam.
Quem há neste largo mundo que me confesse que uma vez
    foi vil?
Ó príncipes, meus irmãos,

Arre, estou farto de semideuses!
Onde é que há gente no mundo?

Então sou só eu que é vil e errôneo nesta terra?

Poderão as mulheres não os terem amado,
Podem ter sido traídos – mas ridículos nunca!
E eu, que tenho sido ridículo sem ter sido traído,
Como posso eu falar com os meus superiores sem titubear?
Eu, que tenho sido vil, literalmente vil,
Vil no sentido mesquinho e infame da vileza.

Esta é a sociedade do sucesso e da vitória

NIZAN GUANAES

Você olha o Instagram e só tem gente feliz, feliz e feliz. Eu realmente não sei quem são as pessoas que estão sofrendo com a epidemia de depressão, como diz a Organização Mundial da Saúde (OMS). Na minha timeline é que não estão. Ali são todos felizes. Quem são os milhões de pessoas que consomem remédios para dormir como se fossem balas de jujuba? Quem são os viciados em cartão de crédito, celular e álcool? Quem são os compulsivos? Onde estão? Nas redes sociais é que não é. Hoje em dia as pessoas publicam tanta sabedoria, tanta frase sensata, tantos pensamentos de Buda, de gratidão e de meditação, que é fácil você acabar se sentindo um merda.

É por isso que trouxe o poema de Fernando Pessoa, via seu heterônimo Álvaro de Campos. Nesta obra-prima, "Poema em linha reta", escrita no início do século XX, o poeta do desassossego fala que no mundo só tem vencedores, mas ele não faz parte do grupo. E mostra que essa sociedade da vitória, tão exacerbada hoje, não é de hoje.

O que você vê no Instagram e nas redes sociais não espelha o mundo real. A *digital influencer* que estava se casando perto do Natal com festa patrocinada e selfies incontáveis teve que convocar uma coletiva de imprensa na Páscoa para explicar por que já se separou. E nós, do lado de fora, morrendo de inveja daquelas vidas perfeitas.

Faço palestras pelo Brasil, e uma das que mais fazem sucesso chama-se "Merda". Durante uma hora e meia eu conto todas as merdas que já fiz na vida, e a plateia vai à loucura porque as pessoas se identificam com aquilo. São todos meus irmãos na merda. E como adubo é feito de merda, digo que a gente cresce com as merdas que faz.

Durante anos eu vesti o personagem do sucesso, e o que é pior: acreditei demais nele. Era um sujeito arrogante, de bom coração, mas desagradável. Levei tão a sério esse personagem que, quando percebi, estava no consultório do Arthur Guerra. Durante alguns anos ele me ajudou a me despir dessa criatura que inventei e a perceber que eu tinha deixado de ser uma pessoa física para me tornar uma pessoa jurídica. Você sabe que isso aconteceu quando seus amigos de verdade somem e sua casa passa a viver lotada de colegas e de *prospects*. Você passa suas noites e seus fins de semana com eles. Não é à toa que tanta empresa paga todos os custos do dono: é porque a empresa é que virou dona do dono.

Este livro é um *striptease*. É a saída da escravidão do Egito até a terra prometida. E não se chega lá de Uber. A felicidade não é uma pílula, não é um colágeno para o músculo do sorriso. O caminho para a terra prometida, na Bíblia e na vida, é o deserto.

A noite sem um remédio para dormir é um deserto. O fim de semana fazendo detox de celular é um deserto. Correr no frio *de São Paulo, pular na piscina e nadar todo dia é um deserto. Comer a mesma comida todo dia é um deserto.*

Nadador, corredor, treinador, lutador e vencedor. Reparou que tudo tem dor? A linha de chegada é instagramável. Ela é vitória, é riso. Mas a maratona é um diálogo de 42 quilômetros entre o desistir e o seguir. Do quilômetro 35 em diante é um monólogo entre você e o desistir. É quando você se pergunta durante sete quilômetros e com uma bolha no pé se você aguenta ser feliz. Este livro é sobre isto: sobre a beleza cotidiana de aguentar ser feliz.

CAPÍTULO 1

Não existe saúde sem saúde mental

ARTHUR GUERRA

Quando me formei em medicina e comecei a atuar como psiquiatra, ainda no século passado – afinal, estamos falando do final dos anos 1970 e começo dos 1980 –, dizia-se que a pessoa tinha saúde mental quando não apresentava diagnóstico de nenhuma doença mental, o que estava muito associado à ideia de loucura. Naquela época, a psiquiatria consistia nisto: fazer o diagnóstico do paciente e, a partir daí, ter um prognóstico, que é uma previsão, com base em sinais e sintomas, de como deve evoluir aquele quadro clínico – se é benigno e com tratamento a pessoa pode melhorar ou se é de difícil controle, por exemplo. Como terapêuticas, usavam-se poucos medicamentos, e apenas alguns profissionais adotavam a psicoterapia.

O tipo de tratamento que hoje é a base do meu trabalho, focado em atividade física e um estilo de vida saudável aliados a acompanhamento psicológico e um olhar clínico para as questões de saúde mental, era pouco discutido naquele passado distante. Trabalhei durante bastante tempo com base no velho conceito, mas ele mudou – ainda bem. Hoje a saúde mental está muito mais ligada a bem-estar e qualidade de vida do que à ausência de transtornos mentais. Tem a ver com encontrar uma espécie de equilíbrio interno que nos permita desenvolver habilidades e interesses, lidar com pensamentos e emoções, regulando-os diante das situações e adversidades. Também tem a ver com construir relacionamentos sólidos, participar de maneira ativa na sociedade, ter propósito e bons hábitos de vida. Em outras palavras, significa munir-se de ferramentas próprias para cuidar de si mesmo e da convivência com seu entorno – amigos, família, colegas de trabalho, comunidade – sem causar prejuízo a ninguém.

O título deste capítulo – Não existe saúde sem saúde mental – reflete a visão atual da OMS sobre o que é saúde mental. Concordo totalmente. Na nossa cultura, nos acostumamos a dar atenção e logo procurar um médico quando sentimos dor em alguma parte do corpo ou percebemos outro sintoma físico, mas nem todo mundo trata com a mesma seriedade alguma perturbação no nível psicológico. Muitas vezes, quando sentimos um desânimo fora do comum, angústia persistente ou pessimismo em relação à vida, ou quando passamos a ter problemas para dormir ou para nos relacionarmos com outras pessoas, deixamos pra lá. Entretanto, percebo diariamente no consultório como questões ligadas ao corpo afetam a mente e as emoções. Da mesma forma, vejo transtornos da mente, como ansiedade, depressão e compulsões, além dos casos de abuso de álcool e drogas, causarem prejuízos ao corpo. A ideia de que é possível cuidar do bem-estar físico em separado da mente é artificial. Não se sustenta na prática.

Entendo a saúde mental como uma espécie de nuvem que envolve todas as situações da vida. Por isso cuidar dela é tão importante. Não pode ser uma preocupação só de quem tem um diagnóstico médico e precisa de tratamento, mas de todas as pessoas que querem estar bem para desempenhar seus diferentes papéis no cotidiano – profissionais que precisam tomar decisões e entregar resultados no trabalho, pais que querem dar bons exemplos aos filhos, jovens que estão descobrindo o mundo, construindo relações e valores. Todos nós, que queremos ter uma vida feliz, plena e com sentido.

O ser humano oscila desde sempre entre sentimentos como tristeza, alegria, raiva, felicidade, medo, satisfação, frustração... Essas e outras emoções compõem a base do nosso funcionamento psíquico, e todo mundo as experimenta em diferentes momentos da vida. É normal e até saudável ficar triste quando se perde alguém querido, um projeto não dá certo, um relacionamento chega ao fim ou um sonho precisa ser adiado. Em geral, passa após algum tempo. Também é esperado ficar ansioso e apreensivo, naquele "modo expectativa", antes de um primeiro encontro, uma viagem desejada, uma entrevista de emprego, uma apresentação importante no trabalho, uma prova do Ironman ou um novo paciente, para citar duas experiências que mexem comigo. São sensações que podem servir como estímulo para você querer se preparar, impressionar, vencer. Passado o evento, o encontro, a competição, volta-se ao equilíbrio de antes. Mesmo emoções incômodas podem ser benéficas quando entendemos por que estão ali e sabemos como lidar com elas.

No dia a dia de trabalho, no convívio com nossos amigos e familiares e na jornada em busca de nossos objetivos e sonhos, há, e sempre vai haver, situações que causam raiva, irritação, medo, angústia – às vezes, tudo ao mesmo tempo. É comum reagirmos a esse turbilhão de emoções buscando aliviar a dor nas drogas, no álcool, na comida ou em remédios desnecessários. Fazemos mal a nós mesmos e, ao nos agredirmos assim, prejudicamos também a nossa relação com os outros.

Aceitar que a vida real é feita de sentimentos bons e ruins, que vêm e vão como uma roda-gigante de emoções, é um primeiro passo importante para cuidar da saúde mental. A partir daí, é preciso disposição para observar os próprios sentimentos e reações e buscar estratégias que nos ajudem a lidar com o que se passa dentro de nós, sem nos deixarmos dominar pelas emoções.

Ao contrário do que se praticava antes na psiquiatria, hoje não esperamos um paciente ficar gravemente doente para, então, investigar o que ele tem e talvez interná-lo. A prevenção é o presente e o futuro da saúde mental. Mau humor e tristeza, irritação fora do normal, cansaço persistente, dificuldade para dormir, isolamento e descontrole diante da comida podem ou não estar relacionados a transtornos mentais, mas sempre merecem atenção se afetam nosso dia a dia e nos impedem de ter a vida que queremos ter. Quanto mais cedo nossas dores forem identificadas e abordadas, mais alternativas de tratamento haverá, com mais chances de bons resultados.

Com o diagnóstico precoce, que consiste em avaliar o quanto antes os sinais de que alguma coisa não vai bem no comportamento ou no modo como a pessoa se sente na maior parte do tempo, é possível começar a tratar o problema antes que ele se torne crônico e cause prejuízos.

Chegar a um diagnóstico psiquiátrico não é simples, e ele dificilmente será perfeito, uma vez que se baseia na observação clínica e em informações extraídas do próprio paciente – não apenas em exames de imagens e medições, como ocorre em muitas doenças físicas. Além disso, as doenças da mente são em boa parte resultado da nossa interação com o meio em que vivemos e o estilo de vida que levamos.

Diante de um mal-estar emocional ou dificuldade para atravessar certos momentos da vida, é comum ponderarmos se o que estamos sentindo é normal ou se é o caso de marcar uma consulta no psiquiatra ou psicólogo. Meu conselho nesses casos é o seguinte: converse com um familiar, um amigo em quem confie ou um colega com quem compartilhe o dia a dia de trabalho. Pessoas próximas em geral conseguem notar mudanças no nosso comportamento e podem nos ajudar a olhar para a situação de outro ângulo. Isso é algo que faço na prática. Minha sócia, Camila Magalhães, com quem tenho uma forte ligação de amizade, confiança e afeto que vem de muitos anos, é uma dessas pessoas que, me conhecendo bem, chamam minha atenção e me estimulam a pegar mais leve quando percebem que estou ansioso além da conta. Ela também é psiquiatra e está sempre alerta, é verdade. Mas acho válido dizer que não é preciso um médico especialista em transtornos mentais para identificar quando nosso estado de espírito ou comportamento sinaliza que precisamos de ajuda. Muitas vezes o médico de confiança da pessoa, que, mesmo sendo de outra área, a acompanha há algum tempo, pode ajudar a detectar um transtorno e oferecer orientações. Muitos pacientes chegam até mim dessa maneira, encaminhados por colegas de outros campos da medicina.

Nunca se falou tanto em saúde mental quanto nos últimos anos, em parte pelo impacto que a pandemia de covid-19 teve no equilíbrio emocional das pessoas. Foi algo que, de tão inédito, originou novos termos para descrever os sentimentos e estados psíquicos que passamos a experimentar. "Fadiga pandêmica" foi um deles, adotado pela OMS na tentativa de designar o cansaço e o esgotamento físico e mental desencadeados pela dificuldade de adaptação ao momento. Também tivemos que nos habituar à expressão "definhamento" (traduzido de *languishing*, em inglês) para definir a sensação de estagnação e vazio, de estar sem propósito e motivação, "apenas existindo", como alguns relatam.

Até hoje esses sentimentos estão entre nós, e ninguém sabe por quanto tempo iremos conviver com eles. Ainda que, enquanto escrevo, o pior pareça ter ficado para trás – já que temos vacinas e remédios promissores –, nós, médicos, estamos nos preparando para lidar com os efeitos futuros desse período no bem-estar mental das pessoas por tempo indeterminado. Muita gente desenvolveu comportamentos solitários, que podem ter levado a ansiedade e depressão, e passou a fazer (ou intensificou o) uso de álcool, drogas e remédios na tentativa de atravessar o momento de tantas adversidades.

Muitos que se contaminaram ou tiveram parentes que adoeceram desenvolveram transtorno de estresse pós-traumático. É um quadro ansioso altamente incapacitante, e pode demorar anos até a pessoa estar recuperada e pronta para retomar a vida. Tantos outros vivem em luto duradouro pela perda de entes queridos e da própria realidade como era antes. Há, ainda, o que vem sendo chamado de covid longa ou síndrome pós-covid, que afeta pacientes com sequelas psicológicas, neurológicas e cognitivas. Entre essas sequelas estão alterações de memória, atenção e raciocínio – já ouvi relatos de dificuldade para voltar a fazer contas de cabeça, lembrar datas e decorar textos –, problemas com o sono e sintomas físicos persistentes, que acabam prejudicando a qualidade de vida, como dores de cabeça e nas articulações, falta de ar e perda de olfato e paladar.

Um alto executivo em uma empresa multinacional me procurou para tratar um quadro grave de depressão que desenvolveu depois de ter covid. Ele relatou sequelas que afetaram seu desempenho profissional, como perda da capacidade de tomar decisões e de se concentrar em tarefas por mais de alguns minutos. Para alguém que tem sob sua liderança milhares de colaboradores e uma função estratégica no negócio, isso trouxe grande desespero. Ele não tinha problemas de saúde mental antes e passou a ser invadido pelo medo de morrer a qualquer instante. Esse executivo mantinha sobre a mesa do escritório uma placa com uma frase motivacional: "Os problemas acabam aqui." Pois ele me contou que sua vontade era trocar aquela frase por outra, "Os problemas começam aqui", dada a ansiedade com que passou a conviver e a insegurança pela sensação de ter desaprendido coisas que sempre soubera fazer. Falou em tom de brincadeira, mas o assunto é sério. Muitos, como ele, precisarão passar por um processo de reabilitação dos efeitos da covid que ninguém sabe quanto tempo vai durar e cujos resultados ainda não conhecemos.

Apesar de tanto sofrimento causado – e porque acho importante olhar as coisas pelo lado positivo –, considero um legado desse período a conscientização para a importância de estarmos atentos ao nosso bem-estar psicológico e ao daqueles à nossa volta. Muitos só então passaram a refletir sobre o estilo de vida que estavam levando e as consequências disso para sua felicidade. A partir daí, conseguiram aproveitar a fase para cuidar mais de si mesmos, passar mais tempo com a família, se alimentar melhor, retomar um hobby antigo – em resumo, fazer coisas que dão prazer, mas que antes, com a desculpa da vida corrida, não se permitiam ou não se organizavam para colocar na rotina. Poder falar com mais naturalidade sobre saúde mental também tem sido um ganho importante para que mais pessoas reconheçam as próprias dificuldades e busquem meios de se cuidar.

O mal-estar do século XXI

Não é de hoje que falar de saúde mental é urgente. Antes mesmo da pandemia, o tema já era tratado como o mais importante do século por entidades como a OMS e a ONU (Organização das Nações Unidas), pelos altos índices de adoecimento observados no mundo inteiro. Os números pré-pandemia já colocavam o Brasil como o país mais ansioso do planeta, com aproximadamente 20 milhões de pessoas sofrendo algum tipo de distúrbio de ansiedade, o equivalente a quase 10% da população. Em relação à depressão, são estimados 300 milhões de casos globalmente, sendo 12 milhões no Brasil – isso faz de nós o povo com o maior número de doentes na América Latina e o segundo maior do mundo, atrás somente dos Estados Unidos.

Vivemos em uma realidade frenética, somos bombardeados por informação (e desinformação) diariamente e a maioria de nós trabalha sob pressão e enfrentando algum nível de estresse. Isso sem falar no acúmulo de crises que nosso país enfrenta ano após ano. A vida moderna é assim, e não podemos mudá-la. O que está ao nosso alcance é escolher a nossa maneira de estar neste cenário: como conciliamos nossas vontades com o que o mundo e os outros esperam de nós, onde nos colocamos em nossa lista de prioridades, quanto respeitamos nossos limites e nosso bem-estar.

O desejo de ter uma vida "perfeita", em muito motivado pelo fenômeno das redes sociais e pela exibição de um cotidiano que parece feito só de conquistas, sorrisos, viagens e corpos bonitos, exerce uma pressão enorme sobre a saúde mental das pessoas hoje. Primeiro porque gera comparação e, consequentemente, frustração em quem está no "mundo real" enfrentando dificuldades e com problemas para resolver, como é comum na vida. Além disso, para atender à expectativa de parecer sempre bem, cria-se um ciclo enganoso de esconder e fingir emoções. Isso nos desconecta de nós mesmos e aos poucos vai minando nosso bem-estar, nos deixando vulneráveis a ansiedade e depressão. As redes também têm relação direta com o aumento da insatisfação corporal principalmente entre meninas e mulheres, predispondo a compulsão e transtornos alimentares, como anorexia e bulimia. Atendo muitas dessas pessoas que parecem viver mais no mundo virtual do que no real e posso afirmar: não existe vida perfeita.

O uso que fazemos da tecnologia, a relação que criamos com o trabalho e a convivência (ou a falta dela) principalmente nas grandes cidades têm um peso grande no aparecimento das doenças do mundo moderno. Muitas vezes elas surgem da dificuldade de organizarmos rotinas saudáveis em meio ao caos.

A ansiedade atrapalha você?

No consultório, reconheço logo um paciente ansioso: ele chega, inquieto, senta na ponta da cadeira, se movimenta com agitação, fala rápido. Na cabeça, uma tempestade de pensamentos e um burburinho constante que oscila entre remoer eventos do passado, sofrer antecipando cenários futuros e culpar-se pela própria confusão mental. (Aqui, aproveito para pedir desculpas aos colegas médicos pelo uso de alguns termos e palavras de maneira mais ampla, afinal este livro foi escrito para não psiquiatras. Confusão mental, na medicina, significa rebaixamento da consciência, como se estivéssemos em um sonho.) Para o ansioso, a vida nunca está boa o bastante, parece que sempre falta alguma coisa.

A ansiedade se torna patológica quando deixa a pessoa em um estado de alerta permanente, como se algo negativo ou ameaçador estivesse prestes a acontecer o tempo todo. É uma resposta desnecessária ou desproporcional, em duração ou intensidade, à situação que a pessoa está vivendo. O problema é que a tensão constante aciona comandos cerebrais e libera os hormônios cortisol, adrenalina e noradrenalina, que provocam uma série de reações físicas (tensão muscular, coração acelerado, respiração ofegante), psíquicas (irritação, agressividade, tristeza) e cognitivas (falhas de memória, dificuldade de concentração e raciocínio). Essas alterações pioram a qualidade do sono, elevam o risco de hipertensão arterial e desregulam em parte o metabolismo, podendo levar a ganho de peso e falta de energia. Percebe como o sofrimento mental não fica só na cabeça e se manifesta também no corpo? Por isso é importante estar atento a si mesmo e aos sinais físicos que surgem quando não estamos bem.

Síndrome do pânico, fobias, transtorno obsessivo-compulsivo (TOC) e o já mencionado transtorno de estresse pós-traumático são quadros ansiosos, cada qual com seus gatilhos e sintomas peculiares, mas todos com impacto negativo no cotidiano porque limitam atividades, minam a autoconfiança e atrapalham as relações.

Precisamos conversar sobre depressão

Mais do que falta de ânimo passageira, essa é uma doença que pode durar meses ou anos e pede uma abordagem médica. Na depressão há perda de interesse pela vida e por atividades que antes eram prazerosas, além de uma sensação persistente de apatia, tristeza profunda e pessimismo que interfere na rotina diária, no convívio social e na capacidade de trabalhar e estudar. Também podem ocorrer problemas com o sono – a pessoa não consegue dormir ou dorme demais, passa o dia inteiro na cama –, falta de apetite, diminuição ou perda da libido e emagrecimento, às vezes muitos quilos em pouco tempo. Há alguns anos autoridades de saúde já previam que essa se tornaria a doença mais incapacitante do mundo até 2030. Tudo indica que essa projeção pode ser antecipada pela pandemia e seus efeitos.

A depressão não possui uma causa específica, e pode surgir da interação de fatores genéticos, biológicos, ambientais e psicológicos. Não é necessário passar por um choque ou um acontecimento triste para começar a ter sintomas, embora eles contribuam para desencadear a doença. Em muitos casos o luto se transforma em depressão ou a aprofunda. O processo natural do luto dura cerca de um ano, mas algumas pessoas demoram mais ou simplesmente não conseguem aceitar a perda e retomar a vida. Tenho uma paciente, uma senhora de um pouco mais de 70 anos, que há mais de quatro anos, desde que o filho morreu em um acidente, parou de sorrir. Ela me conta que chora todos os dias e mal se alimenta, em um quadro de depressão profunda associada ao luto. Eu era médico do rapaz, agora cuido de sua mãe – é um caso muito triste, que também mexe comigo. Médicos sofrem por seus pacientes.

Na depressão, é comum o paciente relatar que se sente vazio por dentro, não vê sentido em estar vivo, tem pensamentos negativos e muitas vezes flerta com a morte, pensando que morrer seria a saída para o sofrimento. Ouço isso com frequência. Pelos dados da OMS, quase um milhão de pessoas por ano comete suicídio no mundo, um número impressionante. Para cada uma que se mata, muitas outras tentam tirar a própria vida e não conseguem. A ideação suicida – quando o indivíduo pensa em se matar, mas não tentou ainda por falta de coragem ou por não ter amadurecido a ideia – é a principal urgência de saúde mental hoje no mundo. E muitos casos de suicídio estão relacionados com quadros de transtornos mentais, principalmente depressão.

A boa notícia é que é possível manter a doença sob controle e levar uma vida produtiva quando o diagnóstico é feito corretamente e o paciente começa um tratamento – em geral multidisciplinar, com psicoterapia, exercícios físicos, meditação, atividades prazerosas e remédios. Quanto mais cedo isso acontecer, melhor. Faço questão de explicar claramente aos pacientes (e seus familiares) que não existe solução rápida: é preciso ter paciência até os remédios começarem a fazer efeito, o que pode demorar entre duas e quatro semanas, e estar preparado para a necessidade de trocar de medicamento até acertar quando a primeira indicação não cumpre o esperado.

A explosão do burnout

Não é uma questão de trabalhar muitas horas ou estar infeliz com o que se faz. Muitas das pessoas que desenvolvem esse tipo de estresse ocupacional são competentes e realizadas na profissão, e por isso mesmo não percebem seu envolvimento exagerado, o alto nível de perfeccionismo e a autocobrança por produtividade. Negligenciam horas de sono e de lazer, pulam refeições, deixam de se exercitar e sacrificam o tempo com a família e os amigos para continuar trabalhando. Até que o corpo e a cabeça pifam. Pela definição da CID-11, que é a classificação internacional de doenças criada e atualizada periodicamente pela OMS, *burnout* é um quadro de estresse crônico decorrente de circunstâncias ligadas exclusivamente ao trabalho.

É comum passar por médicos de várias especialidades até se obter o diagnóstico de *burnout*, que deve ser dado por um médico do trabalho, além do psiquiatra. Isso porque o *burnout* pode desencadear uma série de sintomas físicos e emocionais, alguns dos quais demoramos a associar ao estresse. Uma paciente com um cargo importante na área de marketing de uma das maiores empresas do país percebeu que algo não estava bem quando passou a ter lapsos de memória em reuniões e esquecer informações que havia se preparado para apresentar. Por insegurança, a princípio ela não comentou com ninguém, até se dar conta de que vinha acumulando queixas de saúde havia tempos, sem dar muita atenção: queimação no estômago, corpo inchado, manchas na pele e queda anormal de cabelo, palpitações, crises de falta de ar. Andava impaciente e se irritava com a equipe sem motivo, mas achava que era normal para o momento intenso de trabalho. Pouco se falava em *burnout* na época, e, na peregrinação a consultórios para investigar cada problema separadamente, o diagnóstico demorou mais de dois anos. Foi um baque, já que ela se dizia feliz no emprego, apesar das jornadas que às vezes atravessavam a madrugada. A saída foi se afastar da função que realizava e se cuidar: aproximou-se mais da família, voltou para a terapia, começou a meditar e repensou seus objetivos e seu propósito de trabalho. Só não consegui – ainda – convencê-la a praticar algum esporte. A cada convite meu, a resposta é mais ou menos a mesma, na linha "Nunca, jamais, *never* fiz, faço ou farei esportes". Francamente, fico sem palavras, e apenas devolvo um sorriso protocolar.

Assim como descobrir o problema pode demorar, a recuperação do *burnout* leva tempo porque exige uma revisão dos padrões de comportamento e da relação que se tem com o trabalho. Além da exaustão e de outros sintomas físicos, podem surgir sentimentos ruins em relação ao desempenho profissional: a pessoa passa a duvidar da própria capacidade, não vê sentido no que faz, tem medo de errar e começa a se isolar. Por tudo isso, também perde eficácia na atividade que realiza.

Já parou para pensar se você se encaixa nessa descrição?

O *burnout* foi incluído em 2022 na classificação oficial de doenças da OMS em virtude da explosão de casos no mundo. Na prática, o que muda é que as empresas agora podem ser responsabilizadas quando um funcionário é diagnosticado, pois se entende que ele foi submetido a uma função ou rotina desgastante. No Brasil, mais de 30% dos trabalhadores estão esgotados, de acordo com dados da Isma-BR (o ramo brasileiro da International Stress Management Association), uma respeitada instituição mundial voltada à pesquisa, à prevenção e ao tratamento do estresse.

O conceito de *burnout* também se aplica ao universo do esporte profissional. Recentemente, atletas da ginástica, do tênis, do futebol, da natação, do surfe e de muitos outros esportes, ídolos em nível mundial e favoritos em suas modalidades, anunciaram que estavam desistindo de competições importantes para cuidar da saúde mental. Não foi uma lesão física que os deteve: pararam pela dor emocional de não conseguir colocar um limite entre o que o mundo espera deles, por serem referências, e o que estão dispostos ou aptos a entregar.

Os vícios digitais estão entre nós

Quantas horas por dia você passa no celular? E como gasta o tempo em que está conectado? Os dispositivos eletrônicos se tornaram parte da nossa vida e precisamos deles para várias situações além da comunicação. Talvez por isso muita gente não perceba quando está em uma relação tóxica com smartphone, tablet e computador. Pouco tempo atrás me deparei com um dado assustador: o brasileiro ficou, em média, cinco horas diárias no celular nos últimos anos. O que ele faz nesse tempo todo é a pergunta que faço e que todos deveriam fazer, pois o uso compulsivo desses aparelhos pode estar relacionado com o mau humor, o cansaço, a falta de concentração e a dificuldade para pegar no sono que, de repente, você começa a sentir e não sabe de onde vem.

Hoje sabemos que o mecanismo de dependência da tecnologia é semelhante ao de drogas como a cocaína. Quando alguém curte ou comenta uma postagem nossa em uma rede social ou somos notificados da chegada de e-mail ou mensagem, ocorre uma descarga do neurotransmissor dopamina no sistema de recompensa do cérebro, e isso nos dá a sensação de prazer. A ativação repetida desse circuito reduz a quantidade e a função dos receptores de dopamina, o que nos obriga a buscar mais e mais estímulo – *likes*, visualizações, notificações – para obter a mesma sensação agradável. O vício em jogos eletrônicos é outro drama. Há alguns anos entrou para a lista oficial de distúrbios de saúde mental da OMS, com um alerta para as consequências sobretudo entre crianças e adolescentes, cujo cérebro ainda está em formação.

A questão não é só passar muitas horas conectado, afinal muitos fazem isso por razões de trabalho ou estudo. Quando a pessoa deixa de aproveitar as refeições com a família, de interagir quando encontra os amigos ou de concluir tarefas profissionais ou escolares porque não sai da frente da tela, provavelmente está em um quadro de dependência tecnológica. O tratamento consiste em se reeducar para mudar hábitos de uso excessivo, além de procurar compreender qual é a relação que se tem com a internet e as redes sociais e o que se espera delas.

Responda com sinceridade: até aqui você está mesmo focado na leitura ou seu celular está aí do lado e você tem um olho na página e outro na tela?

O preconceito que atrapalha o cuidado com a saúde mental

Quando alguém que acabo de conhecer me pergunta o que faço, dependendo da situação, digo apenas que sou médico ou escondo minha especialidade. É claro que faço isso de brincadeira e em algum momento acabo revelando a verdade. Mas sei o impacto que a profissão de psiquiatra pode causar, às vezes a ponto de mudar o tom da conversa: há quem fique desconfortável por achar que estou analisando tudo o que é dito e até o não dito. Outros fazem perguntas esperando respostas que não tenho.

Há alguns anos recebi um paciente no consultório, um senhor bem mais velho do que eu, muito elegante. Ele se sentou à minha frente e eu, como de costume, perguntei o que estava acontecendo e como poderia ajudá-lo. Ele me olhou surpreso e ficou em silêncio.

"O senhor sabe que sou médico?", perguntei, e o homem fez que sim. "Sabe que sou psiquiatra?", continuei, apontando para os diplomas na parede da sala. Senti o clima pesar.

"Psiquiatra, que cuida de loucos?", ele perguntou.

"Não só de loucos; cuido de pessoas que estão com algum tipo de desconforto psíquico."

"Meu jovem, muito obrigado e com licença." Ele se levantou e saiu da sala fechando a porta com firmeza.

Não entendi nada. Ele simplesmente deixou a consulta paga e foi embora. Alguns meses depois, perto do Natal, recebi na minha clínica uma cesta enorme e muito caprichada, com comidas e bebidas especiais. Veio junto um bilhete com votos de boas festas assinado por alguém que não reconheci. Pedi que a secretária identificasse a pessoa e quis telefonar para agradecer a gentileza (e matar minha curiosidade). Acabei descobrindo que o presente tinha sido enviado pela esposa do tal senhor. Ela me agradeceu muito, e eu perguntei se sabia como tinha sido nossa consulta, se o marido tinha contado que trocamos somente algumas palavras. Ela respondeu: "Eu não sei o que aconteceu, mas meu marido ficou bem melhor depois que esteve com o senhor." Na conversa, ela revelou que o homem tinha um problema com jogos de azar, mas desde a consulta comigo, aquela que nem sequer ocorreu, parou de jogar. Ele tinha achado um absurdo a mulher mandá-lo ao psiquiatra, ainda mais um que trata de dependência. Sentiu-se tão ofendido que nunca mais apostou dinheiro.

Existem muitas histórias como a desse senhor. Elas ilustram como o simples fato de saber que se tem um problema que é caso para psiquiatra pode fazer a pessoa perceber que precisa mudar algum comportamento. Ainda existe muito preconceito em torno dos problemas de saúde mental. Até hoje nossa sociedade os associa a algum tipo de fraqueza, falta de vontade ou preguiça, quando não a uma falha de personalidade ou caráter. É comum em relação a pessoas com instabilidade emocional e transtornos de ansiedade, depressão e dependência de álcool e drogas. No ambiente de trabalho, muitas vezes o funcionário com depressão é rotulado de preguiçoso ou incompetente quando, na verdade, está doente. É impossível manter uma alta produtividade quando se está deprimido ou com *burnout*.

Essas ideias estão tão arraigadas culturalmente que acabam sendo difundidas até por médicos e outros profissionais de saúde sem conhecimento do assunto. Isso pode fazer com que pacientes em profundo sofrimento se culpem, escondam ou minimizem a seriedade do seu quadro para não parecerem frágeis.

O preconceito é um dos principais obstáculos para que as pessoas busquem apoio e tratamento adequado. Percebo isso no dia a dia: não são poucos os pacientes que marcam consulta, não aparecem e depois inventam uma desculpa para a ausência. Já acreditei que fosse pessoal, que tivessem ouvido algum comentário negativo a meu respeito ou não gostassem da minha abordagem. Ao longo dos anos, entendi que faz parte da concepção de que questões de saúde mental são menos importantes que as de saúde física, ou simplesmente "coisa de louco". Quebrar o tabu e levar informação acessível a quem se interesse é uma causa que abracei. Por isso acho tão importante quando pessoas conhecidas, que têm o poder de influenciar muitas outras, falam com naturalidade sobre suas dificuldades. Como meu parceiro neste livro, Nizan Guanaes: ao associar publicamente o psiquiatra dele – eu – à qualidade de vida que conquistou desde que começou a se tratar, ele contribui para derrubar a barreira que impede muitos de procurar ajuda. Graças a ele, gente que passou a vida associando o psiquiatra a doença mental, loucura e vícios parou de pensar dessa maneira.

Quando dinheiro não traz felicidade

Problemas financeiros estão entre as principais causas de estresse, ansiedade, preocupação e baixa autoestima – não é preciso ser especialista para ter essa noção. E quando acontece o contrário e períodos de instabilidade emocional se tornam gatilhos para consumir sem controle? Comprar para compensar o sofrimento e esquecer dores físicas e emocionais é algo que vejo com frequência e pode criar um ciclo perigoso: a pessoa consome para aliviar sentimentos difíceis de lidar, perde a mão e assume compromissos financeiros que extrapolam suas possibilidades. Então vêm culpa, ansiedade, arrependimento, raiva, angústia.

Dinheiro em excesso também pode ser origem de problemas e sofrimento, brigas, ciúmes, rompimentos e paranoias.

Não raro atendo pacientes que têm fortunas, mas, em vez de usá-las para aproveitar a vida, se desenvolver e preparar um futuro tranquilo, que são o sonho de tanta gente, eles compram sem necessidade ou prazer, gastam tudo ou mais do que têm, colocam bens materiais à frente de relacionamentos e os usam para mostrar poder, às vezes dentro da família. Constroem uma relação disfuncional com o dinheiro, seja por apego exagerado, medo ou como compensação para desconfortos emocionais.

Lembro-me de dois irmãos muito ricos que não se davam bem e usavam suas posses como arma de disputa. Cada vez que um comprava um carro de luxo, o outro ia à mesma loja e escolhia um modelo mais caro. Um deles adquiriu vários apartamentos em um mesmo prédio para impedir que o outro fosse seu vizinho, mas também como provocação, é claro. Eles tinham duas irmãs, e uma delas, que sofria de dores crônicas e tomava remédios fortíssimos para suportá-las, tentava encontrar algum conforto comprando roupas que não usava nem de que precisava. Ela me mostrou uma foto do seu closet abarrotado com peças de grife ainda com a etiqueta pendurada. São exemplos de quando o dinheiro se torna tóxico. Bem-estar financeiro é o oposto disso. É conseguir manter um vínculo saudável com o dinheiro e ter controle sobre ele, e não o contrário.

Comportamentos ligados a compulsão geram grande prejuízo à saúde financeira. Muitas pessoas que têm problemas com o uso de drogas se endividam, pegam objetos de casa para vender ou roubam para comprar substâncias quando estão na fissura. No caso do jogo patológico, começam a apostar e não param mais. Continuam jogando porque fazem dívidas e acreditam que na próxima rodada – de pôquer, bingo ou jogos de azar on-line – vão ganhar e conseguir pagá-las. Isso quase sempre vira uma bola de neve porque a compulsão é mais forte do que a capacidade de controle sobre a hora de parar.

Com compras é a mesma coisa. Conheço uma pessoa bem próxima que simplesmente não resiste a uma vitrine com a palavra "liquidação": ela precisa entrar e consumir alguma coisa – qualquer coisa. Já estive por perto em uma dessas situações e questionei se ela precisava mesmo gastar com mais uma bolsa igualzinha às que já tinha no armário, só que em cores diferentes. A resposta foi: "Mas está com 50% de desconto!" Diante do meu olhar de perplexidade, ela tentou justificar sua atitude: "Ok, eu não resisto..." Como continuei espantado, ela terminou a conversa assim: "Você, como psiquiatra, deveria entender." Sem comentários. Realmente, santo de casa não faz milagre.

Algumas pessoas têm uma espécie de bloqueio para lidar com as próprias finanças: evitam checar o extrato do banco e a fatura do cartão de crédito, fogem de notícias e fontes de informação sobre economia, recusam-se a olhar o preço ou fazer contas antes de consumir, independentemente de sua condição material. Em casos extremos, encarar essas situações, assim como tomar decisões envolvendo dinheiro, gera sintomas característicos de ansiedade, como transpiração excessiva, aceleração dos batimentos cardíacos, tremor nas mãos. Quadros assim vêm sendo tratados como um tipo de transtorno ansioso, a fobia financeira, de que ainda pouco se fala, mas que já é objeto de estudo de psicólogos e psiquiatras.

Muito da dificuldade que as pessoas têm para estabelecer uma relação tranquila com o dinheiro tem origem no tabu que se criou em torno dele na nossa cultura. Não somos incentivados a falar sobre o assunto desde cedo, e é comum associá-lo a algo sujo, desagregador, fruto de desonestidade. Experiências negativas durante a vida, como escassez constante ou conflitos familiares por causa de bens, contribuem para que o tema desperte desconforto e, portanto, seja evitado. Vencer essa dificuldade que pode atrapalhar tanto a vida passa por desconstruir padrões de comportamento e adotar novos hábitos. Orientação psicológica e financeira pode ajudar.

Você conhece alguém assim, que fica hipnotizado ao ver a palavra "desconto" ou "liquidação"? E se for *sale*, estando no exterior, mais ainda?

Cuidar da saúde mental é coisa dos nossos tempos

NIZAN GUANAES

Winston Churchill foi o maior estadista do século XX, o homem que derrotou Hitler. Tenho certeza absoluta de que você não o acha um perdedor. Mas ele sofria de depressão, que chamava de "the big black dog", o grande cão negro. Tenho certeza também de que você contrataria Leonardo da Vinci mesmo sabendo que, apesar de ser o gênio dos gênios, ele tinha um imenso déficit de atenção e reconhecida dificuldade em cumprir os prazos de entrega de seus trabalhos – alguns, inclusive, nunca foram entregues.

Num mundo que não para, um CEO é submetido a pressões absurdas a cada trimestre para entregar resultados ao mercado de capitais. Se ele ainda não tem um problema, muito provavelmente terá se resolver combater o estresse com álcool, comida ou remédios.

Vinho é uma coisa maravilhosa. Jesus fez seu primeiro milagre transformando água em vinho a pedido de sua mãe, Nossa Senhora, no casamento de um amigo de Maria, ao perceber que o vinho ia faltar. Mas quando o álcool sai do sábado e do domingo e invade a semana, ou quando a comida em excesso entope as artérias, não estamos mais celebrando a vida.

Cuidar da saúde mental é coisa destes nossos tempos. Não é coisa de perdedor ou de gente frágil. Cuidar da saúde mental é para todos. É coisa do CEO, do empreendedor, do atleta e de todos os seres modernos.

Administrar a própria vida é um assunto recorrente na minha universidade, a Universidade Harvard, nos Estados Unidos. Aconselho fortemente a leitura do livro Como avaliar sua vida?, *de um dos maiores consultores do mundo, o genial Clayton M. Christensen. Recomendo a todo CEO, a todo empreendedor, a qualquer pessoa que aspira a obter ou manter o sucesso e que queira aprender a administrar a si mesma. Não existe coisa mais difícil do que administrar o sucesso. É daí que vem a expressão "O sucesso subiu à cabeça". Outra frase popular que eu amo é: "Todo mundo vê as caipirinhas que eu bebo, mas ninguém vê os tombos que eu levo." Ou seja, este livro que você tem nas mãos poderia muito bem se chamar "Você aguenta ser muito rico?", ou "Você aguenta ser bem-sucedido?", ou "Você aguenta ser o melhor jogador da NBA?", ou "Você aguenta ganhar na Mega-Sena?". É possível contar nos dedos o ganhador da loteria que conseguiu administrar bem a bolada que ganhou. No fim das contas, a vida é o grande prêmio que recebemos; é a verdadeira loteria. O livro de Clayton M. Christensen nasceu exatamente da observação de que em suas reuniões anuais de ex-colegas havia mais pessoas bem-sucedidas do que felizes.*

O sucesso, por exemplo, me trouxe mais problemas do que os meus problemas. Quando você ganha tudo no Festival Interna-

cional de Publicidade de Cannes, como eu já ganhei, e, em vez de celebrar a vitória, sofre por antecipação pensando se vai ganhar tudo de novo na próxima edição, aí, meu amigo, você tem um problema. Fui um dos caras mais premiados do mundo no Festival de Cannes e na maioria das premiações da publicidade. Ganhei o primeiro Grand Prix para o Brasil. Minha agência foi eleita a melhor do mundo no festival em 1997 e novamente em 1998. Só que eu nunca fui feliz em Cannes. Eu ficava alegrinho, mas não feliz. Odiava Cannes porque eu não tinha inteligência emocional para aguentar a pressão.

Sugiro a todos, também, que assistam à série Arremesso Final, *sobre Michael Jordan e o time Chicago Bulls, e vejam como o astro do basquete aprendeu a gerenciar melhor as emoções e a ter mais foco do que o seu genial colega de time Dennis Rodman. O que Michael Jordan fazia fora da quadra era o que o fazia ser Michael Jordan na quadra.*

Quando conheci Arthur Guerra, ele me disse na lata outra frase demolidora e que certamente ninguém gostaria de ouvir. Ele falou: "Nizan, você é tão bem-sucedido e tem uma vida tão pobre." Então vamos lá, campeão, use este livro para ser um vencedor fora da quadra também. Para virar o jogo e se tornar campeão na própria vida, superando os desafios internos que todo mundo tem, os da saúde mental. Desafios que estão dentro de grandes cabeças, como as de Churchill, Da Vinci, Steve Jobs e Santa Terezinha do Menino Jesus, minha santa de devoção, que quando criança sofria de depressão. Prova de que dificuldades de saúde mental atingem Deus e o mundo.

Ruminações: eu conversando comigo mesmo

NIZAN GUANAES

Nizan 1: *É o cúmulo da vaidade publicitária uma pessoa entrevistar a si mesma. Só mesmo um publicitário.*

Nizan 2: *Boa parte dos seres humanos passa dia e noite conversando com eles mesmos. Eles fingem que estão vivendo, mas estão ruminando pensamentos e se autoentrevistando.*

Nizan 1: *E o assunto é sempre o mesmo: chicotear-se pelo passado e ficar imaginando o futuro.*

Nizan 2: *Papo furado! Você não consegue consertar o passado e fica sofrendo por antecipação.*

Nizan 1: *Pois é, as piores coisas que imaginamos em nossa vida nunca acontecem. Só mesmo em nossa cabeça. Como grandes criadores, somos ótimos em inventar problemas. A gente já teve aids, câncer, infarto e agora estamos caminhando para ter Alzheimer.*

Nizan 1: *Tudo ansiedade, coisa da nossa cabeça.*

Nizan 2: Você lembra que em Trancoso lemos o livro de Augusto Cury sobre a ansiedade em um dia?

Nizan 1: Kkkkk. Você, Nizan Guanaes, não tem jeito.

Nizan 2: Eu não devia ter vendido meu terreno em Trancoso.

Nizan 1: Que diabo é isso?

Nizan 2: Um pensamento que passou pela minha cabeça.

Nizan 1: Sua cabeça, ou nossa cabeça, não desliga nunca.

Nizan 2: Eu tomo remédio para me acalmar. Depois tomo remédio para dormir e depois remédio para acordar.

Nizan 1: É, e ainda bebo café o dia inteiro e Coca-Cola para dar um up.

Nizan 2: Não fica se chicoteando, porque quase todos nós somos assim.

Nizan 1: Verdade! Nós somos o "novo anormal".

Nizan 2: Tenho que parar essa conversa porque minha mulher está reclamando que eu não estou participando do churrasco onde estou agora.

Nizan 1: *Esse é o nosso problema: nos cobrando pelo passado e sofrendo antes do tempo, não aproveitamos o churrasco, as férias, a vida, o filme no cinema.*

Nizan 2: *Não venha cagar regra para cima de mim porque eu já melhorei muito.*

Nizan 1: *Por fora você é um grande marqueteiro de si mesmo.*

Nizan 2: *Você sempre me colocando pra baixo.*

Nizan 1: *Volta para o churrasco!*

Nizan 2: *Eu vou beber para calar essa sua boca, até porque a gente não está em um churrasco. Estamos em um bar-mitzvah.*

CAPÍTULO 2

Uma psiquiatria mais positiva

ARTHUR GUERRA

Não me considero um psiquiatra clássico, embora tenha me formado nos cânones da medicina clássica tanto na graduação, na Faculdade de Medicina do ABC, quanto na residência, no Instituto de Psiquiatria do Hospital das Clínicas da Faculdade de Medicina da Universidade de São Paulo (IPq-FMUSP), e no doutorado, na mesma instituição. Não sou aquele médico que usa termos difíceis ou faz cara de mistério enquanto o paciente fala. Pelo contrário, faço questão de descomplicar ao máximo a mensagem que quero passar. E costumo convidar meus pacientes para correr maratonas, o que não é muito usual, eu sei.

Qualquer corredor conhece a expressão "barato da corrida": ela é usada para descrever o estado de êxtase e, ao mesmo tempo, de extremo relaxamento que acomete os atletas ao final de um treino ou prova. Cada pessoa percebe esse efeito de uma forma e em uma intensidade, por isso é difícil descrevê-lo. É algo tão bom que, por mais que o exercício tenha sido difícil e doloroso, por mais que nos tenha feito pensar em desistir no meio do caminho, é só terminar o treino ou cruzar a linha de chegada para querer fazer tudo de novo. Já experimentei isso várias vezes em provas de Ironman e corridas de diferentes distâncias: à medida que avanço no percurso, quando já estou exausto, me pego dizendo a mim mesmo que nunca mais vou repetir uma loucura daquelas. Completado o desafio, com a medalha no peito, quero logo saber quando será o próximo. É uma sensação arrebatadora, tem que provar para entender. Quem já fez sabe do que estou falando.

Alguns identificam esse barato que a corrida dá como *flow* (ou estado de fluxo): ficamos tão absorvidos pela ação que perdemos a noção de tempo, esforço ou dor, mesmo nos mantendo plenamente alertas e conscientes. Simplesmente *fluímos*. É como entrar em uma espécie de estado meditativo, e pode acontecer em qualquer atividade, não apenas no esporte. Pessoas trabalhando com o que gostam podem entrar em *flow* quando estão entregues, totalmente entretidas. Pelo que escuto de pacientes usuários de drogas, a sensação é semelhante à "viagem" de algumas substâncias, porém sem a parte prejudicial de consumi-las.

Durante bastante tempo se falou que o barato da corrida se deve à ação das endorfinas, neuro-hormônios que agem no cérebro como se fossem uma morfina natural, desencadeando bem-estar, relaxamento e alívio da dor. Sabemos também que os exercícios liberam os neurotransmissores serotonina (que ajuda a regular o humor, o sono e o apetite) e dopamina, que dá as sensações de prazer e motivação. Hoje se acredita também na influência de substâncias endocanabinoides, produzidas naturalmente pelo corpo durante a atividade física e que atuam no cérebro de forma semelhante à *Cannabis*, reduzindo a ansiedade e proporcionando conforto.

Essas substâncias químicas não ficam ativas o tempo todo no organismo. Elas são liberadas quando o cérebro detecta uma situação favorável (por exemplo, você começou a se exercitar) e desligam quando essa situação se esgota, deixando uma sensação prazerosa que pode durar minutos ou horas. Só voltam a ser produzidas quando há um novo gatilho.

Quando comecei a incluir atividade esportiva no tratamento de pessoas com transtornos mentais e problemas com abuso de bebida alcoólica e drogas, minha ideia era oferecer um substituto à sensação de prazer que o uso delas proporciona. Afinal, é pelo prazer que muitos recorrem a essas substâncias. Pensei em trocar a química nociva ao corpo pela poderosa química natural do corpo. Hoje não tenho dúvida de que todos que querem cuidar da saúde mental, tendo ou não um diagnóstico psiquiátrico, podem se beneficiar dessa descarga de felicidade provocada pelos exercícios.

Para além do efeito dos neurotransmissores, quando você começa a treinar e consegue incluir o esporte na rotina está criando uma base para que outras ações positivas se instalem: você passa a prestar mais atenção na alimentação, o estresse diminui, o sono fica mais restaurador, tem mais energia para trabalhar e desfrutar os dias e mais oportunidades para socializar. O conjunto de novos hábitos que adquirimos naturalmente regula e potencializa os níveis das substâncias que geram bem-estar, aumenta a autoestima e melhora o humor de maneira geral. A vida fica mais leve e interessante em muitos aspectos. Você entende o que estou falando?

Na psiquiatria, assim como em outras especialidades, a prescrição de remédios é uma prática valorizada: os médicos sabem fazer isso muito bem e os pacientes com frequência esperam sair da consulta com uma receita de antidepressivo, ansiolítico, comprimidos para dormir ou inibir o apetite, dependendo do caso. Alguns entram no consultório pedindo determinado medicamento, já tendo se informado pela internet ou em conversas com amigos. Mais grave ainda é a automedicação: diante de algum desconforto, e mesmo sem conhecimento de quais podem ser as causas, há quem tome remédios por conta própria, pegando do colega de trabalho ou do parceiro, misturando-os aleatoriamente e ingerindo vários de uma vez, como se fossem balas de jujuba, como diz Nizan. Ou pílulas mágicas para solucionar questões que fazem parte da vida, de tristeza a problemas de relacionamento com o chefe. Não têm a menor ideia do que estão usando ou para que serve de fato cada cápsula ou comprimido, muito menos dos efeitos perigosos que a combinação de vários pode provocar. É praticamente um comportamento normalizado, mas não há nada de normal nele.

Ainda que as drogas psiquiátricas estejam cada vez mais modernas e eficazes quando bem indicadas, nenhuma está livre de causar reações adversas, ainda mais quando administradas de modo irresponsável. A decisão sobre usá-las ou não, de que tipo e em qual dosagem está longe de ser simples, e o mais importante: cabe exclusivamente ao médico, não ao paciente.

Quando atendo uma pessoa pela primeira vez, peço que traga as caixas dos medicamentos que usa diariamente – falo de todos, já que há forte interação entre drogas psiquiátricas e outras, para diabetes e hipertensão, por exemplo. Além disso, peço que venham para a consulta sem tomar nenhum deles. Com isso, quero ver quem é aquele indivíduo sem remédios, seu comportamento, como fala de si e de suas dores. Muitos chegam com o olhar perdido, o rosto inchado e a fala arrastada. Trazem frasqueiras lotadas e contam que tomam mais de dez tipos diferentes de medicação.

Um professor de 52 anos foi organizando as caixinhas em cima da minha mesa enquanto detalhava sua rotina: "Tomo uns quatro deste para dormir à noite e, se despertar de madrugada, engulo mais um. Este aqui é para começar o dia disposto, pois costumo acordar um pouco pra baixo. No começo da tarde uso estes dois: um para me sentir mais animado e o outro para cortar a tristeza. No meio da tarde tenho este analgésico para minhas dores nas costas e este para conseguir terminar o dia de trabalho focado. No jantar, este aqui tira a vontade de beber." Alguns pacientes ainda me informam que também fazem uso de vitaminas e fitoterápicos. Nem passa pela cabeça deles que mesmo suplementos e remédios naturais podem interagir de maneira perigosa com outros que regulam o sono, o humor ou a ansiedade. Casos assim são mais frequentes do que deveriam.

Sozinhos, os remédios não vão resolver nenhum desconforto emocional ou transtorno mental. Podem aliviar sintomas – assim como o analgésico tira a dor – e permitir que a pessoa viva com mais qualidade durante um tratamento médico, quando houver necessidade. Mas não terão efeito na causa do problema ou da doença, que quase sempre envolve o estilo de vida.

Nos casos de abuso de medicamentos, meu primeiro passo é reduzir o uso aos poucos, tirando o que é desnecessário e prejudicial, observando as reações e mantendo o mínimo de medicação possível. O paciente nunca deve parar por conta própria nem de uma hora para outra. Esse processo de desintoxicação é o que chamamos de *washout*. No lugar dele prescrevo esportes, psicoterapia, algum tipo de meditação e tempo de qualidade com a família e os amigos, "remédios" naturais que vão agir na química do bem-estar e no comportamento individual.

Embora haja inúmeras evidências da importância de praticar esportes para a saúde física e mental, nunca avaliei a eficácia ou mensurei os resultados de prescrever bons hábitos, uma rotina ativa e consciência de saúde mental a pessoas dependentes de álcool e drogas, inclusive remédios. Não acho necessário, afinal mexer o corpo e se cuidar não fará mal a ninguém. Entendo que minha conduta talvez desperte desconfiança por parte de colegas, principalmente daqueles que preferem seguir o modelo tradicional de sentar na frente do paciente, fazer perguntas pertinentes a cada caso, chegar a um bom diagnóstico e receitar medicamentos o mais eficazes possível. Mas lembro que na medicina, em especial na psiquiatria, novas abordagens são sempre bem-vindas.

Além disso, na psiquiatria sabemos muito pouco diante das possibilidades que existem, e até hoje trabalhamos mais ou menos como os médicos de antigamente. Os tisiologistas que tratavam a tuberculose dois séculos atrás sabiam que pacientes com febre e tossindo sangue melhoravam desses sintomas quando iam para regiões altas e frias, embora não tivessem a explicação exata. Ainda não se conhecia o bacilo de Koch, causador da doença. Da mesma forma, eu sei que praticar exercícios fará bem a alguém que está acima do peso e não consegue dormir. Bastam algumas semanas em uma nova rotina para vermos que funciona.

Existem outras abordagens para tratar problemas de saúde mental, é claro. Na prática clínica, hoje é possível fazer diagnósticos precoces cada vez mais precisos e prescrever medicamentos eficientes para depressão, ansiedade, síndrome do pânico, distúrbios do sono e alimentares e outros transtornos. Para doenças mentais e dependência química, técnicas de mapeamento genético permitem investigar que tipo de remédio tende a ser mais bem metabolizado pelo indivíduo, tornando assim o tratamento mais efetivo e com menos efeitos colaterais. A realidade virtual vem ganhando espaço para lidar com fobias diversas. Há, ainda, trabalhos sérios sobre a eficácia do uso de *Cannabis* e substâncias psicodélicas (como MDMA e psilocibina) no tratamento de ansiedade, estresse pós-traumático e depressão. Abordagens científicas, em que o pesquisador escreve um artigo demonstrando a eficácia de determinada droga ou tratamento, são muito consideradas não só pela medicina como por toda a sociedade. Existe uma tendência a dar mais credibilidade a métodos e práticas comprovados pela ciência – o que faz todo o sentido, afinal a medicina é mesmo um domínio da ciência.

Quando eu ainda estava na residência em psiquiatria, atraído por novidades como sempre, fui fazer um curso de formação em psicanálise, campo em alta no país naquela época, começo dos anos 1980. Aprendi bastante e cheguei a atender por seis anos como psicanalista até finalmente entender que eu não tinha a vocação necessária, apesar de todo o estudo. Respeito muito e até hoje uso vários dos conceitos da psicanálise, que é uma ótima ferramenta de autoconhecimento e de psicoterapia. Apenas deixei de praticá-la porque nesse tipo de abordagem os melhores resultados vêm a médio e a longo prazo – como eu observava na minha prática clínica. Não era, portanto, o que eu buscava para meus pacientes com problemas mentais graves, crônicos e agudos, que precisavam de propostas de tratamento mais objetivas, diretivas e com respostas rápidas.

Admito que também não possuía um predicado básico dos psicanalistas, necessário para conduzir bem o ritual próprio das sessões de psicanálise: paciência, quase que de Jó. Eu tinha (e ainda tenho) certa dificuldade para me concentrar em ambientes calmos e silenciosos demais. Gosto de agitação, de ver as coisas acontecendo ao meu redor, preciso de estímulos diferentes para focar e produzir. Lembro-me claramente do dia em que desisti de ser psicanalista: foi quando cochilei durante uma sessão. Com todo o respeito à psicoterapia e à psicanálise, muito úteis, estou contando isso para ilustrar que naqueles meus anos de descobertas como psiquiatra o que eu queria era colocar minha energia em tratamentos que trouxessem resultados mais rápidos. Acho que, sem saber, o que eu queria era correr uma maratona (não à toa completei 16...), não fazer uma agradável e séria caminhada de uma hora.

Foi isso também que me levou, com o tempo e a experiência, a buscar indicadores mais concretos para ajudar meus pacientes em seus problemas de saúde mental. Por exemplo, gosto de acompanhar o peso, a frequência com que fazem check-up médico e vão ao dentista, ao clínico geral, ao ginecologista e ao urologista. Se estão praticando atividade física, quando foi a última vez que tiraram férias. "Mas você é médico da cabeça, por que precisa saber se fui ao dentista ou tirei férias?", muitos questionam. Porque isso revela quanto respeito a pessoa tem por si mesma e se está empenhada no próprio bem-estar e em sua recuperação. Para mim, não ter como prioridade ver os amigos, cuidar da saúde e descansar de vez quando ajuda a explicar por que a pessoa está com a autoestima baixa, desanimada, cheia de problemas, brigando com todo mundo e gastando dinheiro com psiquiatra, bebida, drogas, jogos e remédios.

Não sei por que, mas muita gente me pergunta como é meu sono. É muito bom, intenso e profundo. Sonho bastante: sonhos engraçados, angustiantes, enigmáticos, psicanalíticos e psicodélicos. Por ter estudado psicanálise, aprendi que a interpretação dos sonhos é muito interessante, mas dentro do contexto de um tratamento psicanalítico. Fora disso, acho curioso pensar no sonho como um filme, que tem começo, meio e fim, mas que, quando acaba, acabou. Pessoas próximas a mim buscam mais interpretações para os meus sonhos do que eu mesmo. Escuto-as com respeito e diplomacia, mas não tenho tempo para interpretações simplistas do tipo "Ah, você sonhou com linguiça? Hum, já entendi...", ou "Sonhou com sua mãe? Fale mais sobre isso...", ou "Sonhou com o Palmeiras, seu time do coração? Ah, não precisa dizer nada...". Justamente por isso também não me aprofundo nos sonhos dos meus pacientes. Os meus são, muitas vezes, filmes deliciosos. Algumas vezes, angustiantes. Ainda bem que, quando acaba o sonho, acaba o filme. E seguimos adiante.

Novos hábitos para mais bem-estar

Quando alguém que se dá conta de que não está levando a vida que gostaria e a saúde mental não vai bem me pergunta o que pode fazer desde já para melhorar, tenho duas recomendações básicas, que valem para qualquer pessoa. A primeira é que comece a praticar algum tipo de exercício físico, como você já sabe. A segunda é que tente incluir na rotina atividades que goste de fazer, que deem prazer. Pode ser um hobby, um curso, um trabalho voluntário, um projeto pessoal – cada um deve escolher de acordo com a própria realidade e os próprios interesses. O objetivo é manter a mente e o corpo ocupados e ao mesmo tempo tornar a rotina mais leve e agradável. Além disso, essas duas recomendações trabalham diferentes inteligências e funções cognitivas. Engajar-se em atividades ajuda a controlar o turbilhão de pensamentos que nos paralisa e produz ansiedade, sentimentos negativos e comportamentos inadequados, prejudicando a saúde mental.

Não é simples convencer as pessoas a começar a fazer esporte. Para muitas é um salto radical de mentalidade e rotina. Quando pergunto o que acham de tentar, na maioria das vezes enfrento resistência e escuto respostas como "Nunca fiz nenhum exercício", ou "Detesto academia", como se essa fosse a única forma de treinar, ou "Nem pensar". Ouço todo tipo de desculpa. Como não sou de desistir facilmente e tenho bons argumentos, insisto.

Pessoalmente, não acordo todos os dias cheio de pique para correr, pedalar ou nadar. Há ocasiões em que preferiria ficar um pouco mais na cama, ainda mais quando está frio ou chovendo e o sol ainda nem apareceu, o que é comum, já que costumo treinar bem cedo. Aposto que atletas profissionais também passam por isso. Mas levanto quase sem pensar, me visto – para facilitar e não perder tempo, na noite anterior separo as roupas e os acessórios que vou usar nos treinos do dia – e saio. Quando entro no elevador eu já esqueci a dúvida, o sono e a preguiça. Incluir exercícios na rotina, por mais que se tenha uma agenda cheia, é uma questão de hábito.

Hábitos são comportamentos construídos ao longo da vida. Ações que, de tanto serem reproduzidas, o cérebro passa a realizar de modo automático, sem esforço. Isso vale para os hábitos bons e os ruins. É natural, portanto, que mudar o estilo de vida que levamos há anos, às vezes há uma vida inteira, não aconteça de uma hora para outra. Precisamos de paciência e disciplina para desconstruí-lo. E do compromisso de fazer, todos os dias, o que precisa ser feito para criarmos uma vida mais saudável, feliz e com sentido. Cuidar da nossa saúde mental pode ter um começo – o momento mágico em que você toma essa decisão –, mas não tem fim.

Estabelecer uma rotina ajuda muito a incorporar hábitos no dia a dia. Definir e seguir horários regulares para as atividades é uma forma de nos educarmos para repetir novas ações até que se tornem naturais e passemos a realizá-las sem sacrifício e sem depender da força de vontade. Nosso corpo funciona melhor quando há previsibilidade. Sem isso, o organismo fica estressado, o metabolismo se desregula e a saúde geral decai. Organizar uma rotina é o ponto de partida para eliminar estresse desnecessário e conseguir abandonar comportamentos erráticos, que levam à frustração e possivelmente ao uso nocivo de álcool e outras substâncias a que tantos recorrem na tentativa de atravessar os dias com menos desconforto. Também traz a percepção de ter o controle da própria vida e tranquilidade e confiança para fazer planos e avançar em direção a eles.

Quando penso em como abordar um processo de mudança, vem à minha mente a imagem de uma cômoda com várias gavetas: não adianta abrir todas ao mesmo tempo porque só será possível ver o conteúdo da gaveta de cima. É preciso abrir uma, mexer no que for necessário e fechá-la antes de acessar a próxima. Da mesma forma, quando alguém decide se cuidar mais, não é preciso nem costuma dar certo tentar resolver tudo de uma vez. Por mais que haja muito a fazer e tudo seja importante, é melhor priorizar – começar a se exercitar, diminuir o tempo nas redes sociais, perder peso, largar os remédios para dormir – e evoluir com calma, vencendo etapas à medida que ganha segurança, no próprio ritmo.

É normal não ter a mesma disposição ou prontidão para mudar em todas as áreas da vida ao mesmo tempo. Uma pessoa pode achar fácil começar desde já a correr meia hora por dia, mas sofrer para corrigir a alimentação, diminuir o tempo no celular ou trabalhar menos horas. Minha sugestão é começar pelo que é mais fácil para cada um. No início, mesmo pequenas percepções de mudança podem trazer coragem e motivação para não desistir.

No consultório, ouço muitos pacientes dizerem que estão dispostos a levar uma vida mais saudável, mas gostariam de continuar, por exemplo, fumando maconha no meio do expediente ou tomando vários drinques no fim do dia porque isso os deixa mais relaxados. Dificilmente proíbo ou condeno. Meu papel é ajudá-los a avaliar se o hábito é mesmo benéfico, se de fato torna a rotina melhor e mais produtiva, se estão contentes vivendo assim. Quando se vive um cotidiano indisciplinado, muitas vezes a dificuldade está em olhar para a própria vida atualmente, identificar o que não está dando certo e perguntar a si mesmo se não há outro jeito de fazer as coisas, mais funcional e saudável. É aí que entro, ajudando-os a criar rotinas alternativas e analisando junto a eles o que apreciam mas deixaram de fazer por falta de tempo ou pelas circunstâncias.

Essa proximidade e o acolhimento da forma mais humanizada possível são fundamentais em qualquer tratamento bem-sucedido. Na nossa vida, amigos e familiares podem assumir esse mesmo papel de nos fazer enxergar nossa história de outra perspectiva e nos apoiar na escolha de outros caminhos. Acredito também que novas portas podem se abrir e descobertas acontecer quando alguém se permite fazer bem a si mesmo e experimentar uma nova vida, com novos hábitos.

Um engenheiro na casa dos 30 anos me procurou para tratar do uso de cocaína e maconha. Ele havia começado a usar essas drogas como muleta para suportar o trabalho em uma empresa onde o ambiente era tóxico, a carga horária, exaustiva, e ele não estava feliz. O rapaz ainda não era dependente, mas vinha consumindo as drogas com frequência e sabia que estava se prejudicando. Nós nos conhecíamos fazia dois meses quando, após um episódio de uso agudo e nocivo, em uma severa *"bad trip"*, ele precisou ser internado para desintoxicação. Em uma visita à clínica, perguntei o que ele achava de começar a fazer algum esporte. O rapaz me contou que gostava de pedalar, mas não praticava havia bastante tempo por falta de disposição e condicionamento. Combinamos que, quando tivesse alta, ele faria meia hora de exercício diário antes de ir para o trabalho. Nos primeiros dias foi difícil levantar mais cedo e se organizar, mas em poucas semanas ele estava pedalando uma hora toda manhã. Passou a levar a bicicleta para o sítio da família no interior de São Paulo e a fazer longos passeios nos fins de semana. Entrou para um grupo de mountain bike, comprou equipamentos melhores, começou a levantar antes das seis da manhã quase todos os dias para treinar antes de ir trabalhar e se inscreveu na primeira de várias competições. Emagreceu e parou de usar drogas, mas a transformação foi além: pediu demissão do emprego estressante e, em sociedade com a mãe, abriu uma floricultura onde vendem plantas e flores cultivadas no sítio. Foi durante as voltas de bicicleta pela propriedade que ele teve a ideia do negócio, lançou-se nele e hoje está realizado e cheio de planos.

Nem sempre haverá um médico envolvido no processo de cuidar da saúde mental. Como comentei antes, muitas pessoas mudam comportamentos por conta própria quando percebem que estão fazendo mal a si mesmas, especialmente se há uma associação com compulsões (por comida ou bebida, compras, jogo, trabalho, sexo, uso de celular). Esse foi o achado mais interessante do meu doutorado, defendido no começo dos anos 1990. Nele comparei dois grupos, cada um com cinquenta pacientes alcoolistas, que é como chamamos quem tem problemas com bebida alcoólica. Os dois grupos foram acompanhados durante um ano e avaliados em quatro momentos do tratamento para parar de beber: no início, um mês depois, seis meses depois e após 12 meses. (Hoje um estudo com esse número modesto de pacientes em cada grupo provavelmente não seria aceito para uma pesquisa de doutorado na FMUSP.) Um dos grupos recebeu suporte considerado padrão ouro, com consultas semanais de trinta minutos com psiquiatra, além de psicólogo, terapeuta familiar e médico gastroenterologista, atendimento por telefone a qualquer hora no caso de recaída e acesso a medicamentos quando necessário. Para o outro foram disponibilizadas apenas quatro consultas de cinco minutos cada uma no período total (um ano): era praticamente o tempo de o paciente falar alguma coisa e o médico dizer que ele tinha que parar de beber ou manter a abstinência, caso já estivesse "limpo". Ou seja, uma orientação superbásica. Na época, foi surpresa para mim que os dois grupos de participantes tenham apresentado os mesmos resultados, o que mostra que quando a pessoa realmente quer parar de beber, não precisa de muitos recursos e especialistas variados. O mesmo raciocínio orienta meu trabalho até hoje: o profissional de saúde pode apontar a direção, mas é a vontade de cada um que fará diferença.

Não quero passar a impressão de que o caminho é fácil e de que para mudar basta querer. Nenhum processo de mudança de consciência e de hábitos é simples. Mesmo nos casos mais bem-sucedidos é normal haver insegurança, resistência, dor, recaída e vontade de escapar. Alguns pacientes contam que se sentem enjaulados quando não podem beber ou usar substâncias, mesmo reconhecendo que a vida fica melhor sem isso. À medida que percebem as transformações positivas, porém, ganham autoconfiança, autoestima e disposição para seguir em frente. E se dão conta de que a verdadeira jaula ou prisão não é conseguir controlar seus impulsos e vontades, mas ser controlado por eles.

Você consegue pensar em alguma situação em que se sentiu assim?

Minha rotina é um Ironman por dia

Sou inquieto e sempre gostei de fazer coisas diferentes ao mesmo tempo. Hoje comando um consultório com mais de quarenta profissionais, dou aulas em duas das melhores faculdades de medicina do país, da USP e do ABC, superviosino o programa do Grupo Interdisciplinar de Estudos de Álcool e Drogas (GREA), do IPq-FMUSP, sou presidente da ONG Centro de Informações sobre Saúde e Álcool (CISA) e um dos coordenadores do programa de saúde mental do Hospital Sírio-Libanês. Mais recentemente, abri, como sócio, a Caliandra, empresa que cuida de saúde mental no ambiente corporativo, e me tornei embaixador para o Brasil do tema depressão para um grande laboratório farmacêutico. Além disso, publico uma coluna semanal sobre saúde mental na revista *Forbes* on-line; para essa coluna, além do texto, produzo vídeos curtos que vão para o Instagram ou para o TikTok. Durante cinco anos (de 2017 a 2022) coordenei o Programa Redenção da Prefeitura de São Paulo, que atende usuários de crack e outras drogas na região da assim chamada Cracolândia, na capital, do qual me desliguei durante a fase final de produção deste livro. Como se não bastasse, me lancei neste desafio da escrita, uma experiência diversa de tudo que já fiz.

Tenho uma rotina intensa: me desdobro diariamente entre reuniões com diferentes equipes, atendimentos no consultório, produção e aprovação de materiais para imprensa e redes sociais e várias outras atividades ligadas à minha vida profissional e particular. É claro que não faço tudo sozinho, e só consigo conciliar tantos papéis porque tenho ótimos times, com profissionais bem preparados para cada função e muito motivados. Ainda assim, na maioria dos dias eu me sinto como se estivesse em um Ironman: dou o máximo da minha energia e chego ao final cansado, mas muito realizado.

Meu dia começa, na verdade, na noite anterior, quando defino as tarefas que preciso cumprir no dia seguinte, geralmente por ordem de importância. Tenho esse hábito há muitos anos e reservo cadernos específicos para isso (não uso papeizinhos ou lembretes soltos), o que me ajuda a manter a disciplina. Sigo à risca essa agenda diária e vou riscando as pendências da lista à medida que são resolvidas. Esse planejamento noturno me ajuda a dormir muito bem, pois tiro as preocupações da cabeça ao passá-las para o papel, e tenho dias proveitosos, porque acordo já sabendo o que tenho para fazer. Não fico perdido entre tantos compromissos nem desperdiço tempo.

Gosto de começar pela prática de esporte: é de manhã que me sinto mais disposto, e o exercício me deixa energizado pelo restante do dia. Levanto antes das 6 horas e saio depois de tomar no máximo uma xícara de café; sou adepto do jejum intermitente – no meu caso, fico sem comer nada depois do jantar até o almoço do dia seguinte. Dependendo do dia da semana, treino uma ou duas das modalidades que compõem o triatlo e faço musculação.

De vez em quando surge algum evento, viagem ou reunião importante que me impede de fazer meu esporte matinal, mas tudo bem. Treino perdido para mim é treino perdido, e não me culpo nem me preocupo em compensá-lo depois. Imprevistos acontecem, e perder um treino não vai arruinar meu desempenho e minha evolução. Seguir uma rotina previsível tem a vantagem de me deixar tranquilo diante de situações profissionais inesperadas. Em geral, consigo responder a elas com agilidade e da melhor forma possível.

Como tenho vários "empregos", separo a parte da manhã para os compromissos e as reuniões junto às instituições a que sou ligado – universidades, hospital, minha empresa – e a tarde para atender pacientes no consultório ou remotamente. Faço questão de ser pontual nos horários de início e término desses encontros, para evitar que pequenos atrasos virem uma bola de neve e atrapalhem a agenda do dia. Marco meus compromissos prevendo pausas de 10 ou 15 minutos entre eles para que eu possa levantar da cadeira e esticar as pernas, tomar um café, ir ao banheiro, retornar alguma ligação ou mensagem importante e trocar uma palavra ou um carinho com minha mulher ou meus filhos, o que se tornou muito frequente quando, durante a pandemia, passamos boa parte do tempo trabalhando em casa. Tudo isso funciona como um descanso mental entre um assunto e outro. Com poucas exceções (minha família e meus chefes), não atendo telefonemas nem leio mensagens quando estou em reuniões de trabalho. E nunca atendo ligações de números que não estão na minha lista de contatos.

Sou regrado também no que diz respeito aos horários das refeições, tanto o almoço quanto o jantar, e no ritual em torno delas. Para mim esses momentos são também de conexão com quem estiver comigo, seja minha mulher, meus filhos ou amigos. Deixo o celular longe da mesa e aproveito a conversa e a comida.

Tenho o privilégio de estar cercado de profissionais em quem confio completamente e que, assim como eu, têm prazer no que fazem e buscam dar o melhor de si. Não são apenas muito bons profissionais, são também pessoas de quem gosto e que gostam de mim, o que contribui para tornar os ambientes agradáveis. O grande volume de trabalho e a natureza dos assuntos com que lidamos o tempo todo – doença, sofrimento, insegurança, paranoias, mentiras – podem tornar o cotidiano opressivo e exaustivo. Como líder, me preocupo em oferecer segurança psicológica e positividade às equipes, e faço isso elogiando com sinceridade, expressando admiração, acolhendo e dando crédito às boas ideias. Acho que todos nós trabalhamos melhor assim. Afinal, dinheiro não é a única motivação para fazermos bem nosso trabalho; a maioria das pessoas espera também pertencimento e reconhecimento.

Não posso dizer que não levo trabalho para casa: sou médico, o celular está comigo o tempo todo e faz parte da profissão estar pronto para emergências. Isso não quer dizer que eu nunca me desligue das obrigações profissionais, longe disso. Em nome da minha saúde mental e da de todos que trabalham comigo, respeitamos uma etiqueta de comunicação, com horários estabelecidos para tratar de assuntos profissionais (normalmente, das 7 da manhã às 9 da noite). À noite gosto de ler, assistir a algum filme ou programa na televisão, conversar com a família ou amigos e dormir cedo, não sem antes fazer minha lista de tarefas para o dia seguinte.

Rotina não é prisão, é liberdade

NIZAN GUANAES

Eu acordo praticamente todos os dias às 6 da manhã. Vou ao banheiro, pego o celular, subo na balança, tiro uma foto do meu peso e mando para o Arthur Guerra. Arthur acompanha meu humor pelo meu peso. Todos nós sabemos que muita gente engorda quando está ansiosa, e alguns emagrecem quando estão ansiosos. Por isso mando todos os dias, religiosamente, a foto do meu peso para o meu psiquiatra. O mais incrível é que às 6 da manhã ele comenta de volta. Arthur acompanha todo o meu condicionamento físico, a minha vida esportiva, se estou indo bem ou mal nos hábitos e nos treinos. Pega no meu pé se eu estiver exagerando na comida. Leva isso tão a sério que, por causa dele, hoje em dia levo minha balança nas viagens pelo mundo inteiro.

Depois de mandar a foto, eu escovo os dentes, me visto, como uma fruta para não treinar de barriga vazia e vou cedinho para o Clube Pinheiros. Meu treino tem aeróbico na primeira hora e musculação ou alongamento na seguinte. Quando você se exercita, seu dia muda. É no treino que tenho as melhores ideias e encontro soluções para os meus problemas. Às vezes simplesmente não penso em nada, falo bobagens com meu treinador e descanso a cabeça longe do celular. Depois de um banho gostoso, tomo o café da manhã e por volta das 9 horas estou no escritório. Meu escritório é lindo e simples. Tem 57 metros quadrados, nem 1 centímetro mais. Trabalho sozinho com minha assistente, focado e num silêncio absoluto.

Como você pode ver, sou disciplinado. Na verdade, me tornei disciplinado. Sou de uma geração que desprezava a rotina, só que a rotina liberta. É a disciplina que me faz trabalhar com produtividade, alegria e realização por nove a dez horas todo dia, sem dispersão.

Sobre a mesa de trabalho, à minha frente, fica a minha agenda, que sigo religiosamente. Quando dá meio-dia eu paro um pouquinho e faço meditação pelo Zoom. Não, meu amigo, meditação não é coisa de budista. Fui descobrir a importância da prática quando estava fazendo um curso em Harvard. Meditação é uma ferramenta para a vida, que ajuda muito na parte profissional. Para mim, é como dar um refresh na cabeça. Quando termino de meditar parece que tomei um banho: me sinto mais disposto e não chego tão ansioso para o almoço. Ansiedade leva você a comer demais, sobretudo o couvert, inimigo mortal da boa alimentação. Faço uma refeição que alimenta mas não dá sono, e assim começo bem a tarde. Consigo trabalhar até umas 19 horas com pique total.

A partir daí, cuido de mim: faço análise, assisto à missa on-line, às vezes faço massagem (que é importante para quem treina) ou aproveito para repor o treino da manhã, caso não *tenha dado tempo. Depois, curto minha vida familiar e social jantando com minha mulher e meus filhos, vendo meus netos, encontrando os amigos. Meu jantar é leve: salada, sopa e, se treinei muito naquele dia, alguma proteína. Se eu como muito, durmo mal. Por volta das 9 da noite já estou conversando com Jesus, de tanto sono. Gosto de dormir cedo para começar tudo de novo no dia seguinte.*

A moral deste capítulo é a seguinte: é preciso ter disciplina para vencer todo dia a si mesmo. A felicidade é uma conquista diária. Ela é feita de estabelecer prioridades, tem método e inclui dizer não. Portanto, bom dia, boa tarde, boa noite e boa vida. Todo dia, todo santo dia.

Deixo aqui uma pergunta: na sua agenda sobra tempo para ser feliz?

CAPÍTULO 3

Autocuidado, um passo que só você pode dar

ARTHUR GUERRA

Gosto de usar ditados e metáforas para passar mensagens que acho importantes. Uma das que mais repito, e procuro aplicar em várias situações da vida, é muito usada no mundo dos investimentos: nunca se deve colocar todos os ovos em uma mesma cesta. Não devemos depositar todas as esperanças e aspirações de felicidade em uma única pessoa, um projeto ou uma situação; é bom ter opções e equilíbrio. Na minha história, esse pensamento foi fundamental para que eu conseguisse conciliar algum sucesso profissional e qualidade de vida.

Desde cedo na carreira percebi que não queria colocar todas as minhas expectativas e dedicação exclusivamente no atendimento clínico ou na vida acadêmica, como muitos médicos fazem em algum momento. Não há nada de errado em optar por uma coisa ou outra, e vários colegas que para mim são referência na profissão trabalham dessa forma. Mas durante meus anos de formação fui influenciado por um professor muito querido que dizia: "Arthur, nunca dependa dos humores e das decisões de outras pessoas para escolher seus caminhos e chegar aonde deseja." Passei a valorizar minha autonomia e buscar a liberdade de poder sair de algum emprego a qualquer momento caso não estivesse satisfeito. Não por rebeldia, mas porque gosto da sensação de saber que sou protagonista da minha história e dono das minhas escolhas. Isso é algo que procuro compartilhar com meus alunos de medicina e jovens profissionais da saúde com quem convivo. Mas vale para todos, seja qual for a profissão ou atividade que tenham. De certa forma, é também o que tento passar aos pacientes: cada um é o ator principal da jornada de cuidados consigo mesmo.

Alguém que analisasse a quantidade de atividades que tenho hoje poderia pensar que minha rotina é só trabalho, mas não é. Mesmo vestindo diferentes "chapéus" de responsabilidade todos os dias, faço questão de reservar tempo para o lazer e demandas pessoais que me dão prazer, como treinar, ler meus jornais preferidos (*O Estado de S. Paulo*, *O Globo*, *Valor Econômico* e *The New York Times*) e conversar com minha mãe, que está com 92 anos e adora bater papo. Essas atividades são fundamentais para que eu consiga responder com eficiência às exigências profissionais, que são muitas. Sem essas válvulas de escape, talvez em algum momento eu acabasse tendo insônia, ansiedade ou até mesmo *burnout*.

Com o tempo entendi que não há realização profissional se a vida particular não vai bem. É difícil encontrar o equilíbrio entre as duas coisas, mas entendi que família e amigos são o maior patrimônio que temos, e deixar de se dedicar ativamente a eles é um erro que pode custar caro à saúde e à felicidade.

Mais tarde encontrei também no esporte entusiasmo e resiliência para conciliar tantas funções. Não tenho dúvida de que a combinação de trabalho intenso, vida social e pessoal em harmonia e um hobby que me desafia foi o que me possibilitou prosperar como médico e indivíduo, preservando, e até melhorando, minha saúde mental.

Tudo o que você faz pensando em promover mais bem-estar e qualidade de vida para si mesmo é autocuidado. Isso engloba a saúde física (inclusive a bucal) e mental, mas também a atenção que damos às relações e à nossa aparência, como tratamos a vida financeira, a profissional e todos os demais aspectos que influenciam nossa felicidade. Preocupar-se em fazer bem a si mesmo em primeiro lugar não é uma atitude egoísta, pois quando estamos satisfeitos conosco aumentamos nossa capacidade de ajudar os outros a ficar bem também.

É curioso que, quando estamos estressados ou sobrecarregados, a primeira coisa que sacrificamos é o nosso descanso. Quase ninguém pensa em parar um pouco para descomprimir de alguma forma. Mas todo mundo deveria reservar algum tempo livre no dia para atividades que considere prazerosas, como ler, assistir a uma série, ouvir música, cozinhar, cuidar das plantas, passear com o cachorro. Ou mesmo para não fazer nada, por que não? Muitos condenam o tédio e o ócio, mas eles podem ser muito úteis ao autoconhecimento, à saúde mental e até à criatividade. Todos os momentos que reservamos para nós mesmos têm um impacto enorme no nosso bem-estar: não somente ajudam a controlar o estresse como nos dão uma percepção de equilíbrio e autocuidado, algo que contribui para reduzir a ansiedade e melhorar a autoestima. Há estudos que mostram que esse tempo em benefício próprio auxilia na recuperação de pacientes com transtornos mentais graves, como depressão.

Vejo muitas pessoas adoecendo como resposta ao estresse crônico gerado pela dificuldade de estabelecer limites entre trabalho e vida pessoal. Quando estamos infelizes e frustrados no trabalho, é comum culpar o chefe tóxico, a pressão por resultados, a cultura da empresa, a relação difícil com os colegas, o salário baixo, a sobrecarga de atividades, a precarização das condições e muitos outros fatores. Sei que tudo isso existe e pode mesmo afetar nosso equilíbrio. Mas, na minha visão, o que está errado é negligenciar o autocuidado. O trabalho pode ser uma fonte incrível de propósito, e está nas mãos do indivíduo, não nas do empregador, extrair dele aprendizados e realização. Em nome da saúde mental, cada um precisa ter noção de até onde é capaz de ir pelo trabalho. Trata-se de um grande desafio.

Você tem cuidado de si mesmo? Lembre-se: um pouco de egoísmo não faz mal.

Aceitação é a chave da mudança

Estou acostumado a tratar pacientes crônicos com algum tipo de sofrimento psíquico. Pessoas com quadros graves, que já passaram por outros médicos e experimentaram diferentes tratamentos sem resultados sustentáveis. Muitas acreditam que, por isso, sabem o que funciona e não funciona no caso delas e podem me dizer como devo proceder. Outras agem assim por uma arrogância natural. Entram no consultório contando que já sabem o seu diagnóstico e o que precisam fazer, não admitem que têm comportamentos inadequados e resistem a mudar. Não é incomum que pessoas mais velhas e médicos, quando se tornam pacientes, ajam assim, como que "jogando cascas de banana" e esperando que eu apenas confirme se estão tomando o remédio certo, na dose correta. Essa postura de negação dificulta o tratamento.

Algumas pessoas não enxergam que estão repetindo comportamentos problemáticos e têm dificuldade para sair deles, enquanto outras até têm consciência de que há algo a corrigir, mas não sabem como dar o primeiro passo. Isso vale para qualquer questão relacionada à saúde.

Quando se trata de dependência de álcool, certas posturas são típicas de quem não admite que precisa mudar. A primeira é de negação: "Doutor, eu até bebo, mas não é tanto assim", ou "Só bebo socialmente". Também há comportamentos de onipotência, que é o caso do indivíduo que fala "Eu bebo, mas posso parar quando quiser", querendo se convencer de que tem controle sobre a bebida, quando, na verdade, não tem. Por último, há aqueles que projetam o mau hábito em algo ou alguém: "Bebo porque minha mulher ou meu marido é muito chato", ou "Bebo para dar uma relaxada depois do trabalho", ou "Bebo para esquecer as mazelas do país". São só desculpas para continuarem bebendo de forma inapropriada em vez de admitirem que estão errando. O álcool existe há milhares de anos e continuará existindo. A maioria das pessoas é capaz de consumi-lo de modo saudável, mas algumas não são. A responsabilidade por atrair problemas e criar infelicidade não é da bebida, mas do indivíduo. Pensar de outro modo seria equivalente a culpar os fabricantes de carros pelos acidentes nas estradas, ou os médicos por diagnosticarem as doenças.

Negar que precisa de ajuda é um comportamento típico de autossabotagem, certamente familiar para muitos leitores. (Meu amigo, minha amiga, você sabe do que estou falando?) Conheço pessoas que têm tudo para serem felizes, mas só conseguem – ou acham que conseguem – quando colocam uma espécie de máscara de sujeito problemático, excêntrico ou dono de uma personalidade forte para justificar a vida indisciplinada que levam. Criam problemas que não existem, reclamam demais, não se permitem ter um bom relacionamento no trabalho e em casa, ganhar dinheiro sem perder a cabeça, dormir tranquilamente à noite. A impressão que tenho, ao ver de perto tantas pessoas assim, é que encaram a vida como um jogo de sobrevivência em um mundo hostil, em que só existe "felicidade" onde há conflito, problemas, doença e disputa. Não imaginam o que é viver com leveza. É nesse contexto que eu lanço o desafio: você prefere mesmo o fracasso ou aguenta ser feliz?

A primeira atitude necessária para tratar qualquer dificuldade de saúde mental é aceitar que existe um problema que precisa ser resolvido porque está trazendo prejuízos para a própria pessoa e provavelmente para outras. É preciso ter humildade para reconhecer que, apesar de possíveis tentativas e esforços que já se tenha feito para tornar a vida melhor, não deu certo. Humildade também para entender que às vezes melancolia, desânimo, negatividade, agressividade e impaciência não são características da personalidade, mas sinais de que alguma coisa está em desequilíbrio por dentro. Não há nada de ruim ou feio em admitir isso e pedir ajuda. Não é coisa de gente louca, mas de gente sã, que consegue identificar desajustes no próprio comportamento.

Um passo importante para evoluir do estágio de negação para o de mudança é se informar sobre o problema, seja buscando fontes confiáveis – livros e publicações sérias, sites de referência e profissionais da área –, seja conversando com pessoas ou participando de grupos de discussão sobre as mesmas questões. Isso pode ajudar a reconhecer os próprios erros e compreender as possíveis consequências deles, além de visualizar saídas reais, não ilusórias, para enfrentar as adversidades.

Atendo pessoas que há muitos anos tratam o mesmo problema sem grande melhora porque não admitem experimentar outros caminhos a não ser os que acham, por conta própria, que são os adequados. Com essa mentalidade, administram o sofrimento e a doença como se fossem partes inevitáveis da vida e nunca se libertam deles. É o caso de uma mulher de 35 anos, com uma filha de 4, que há mais de 15 anos convive com a bulimia, um transtorno alimentar que a faz comer compulsivamente e em seguida provocar o vômito para evitar ganho de peso. É uma doença psiquiátrica complexa, que gera culpa, arrependimento e perda de autoestima e abala a vida social de várias maneiras. Normalmente está atrelada a outros problemas mentais, como ansiedade e depressão, mas existe saída com tratamento multidisciplinar. Essa paciente, assim como muitas que têm o mesmo distúrbio, acabou criando estratégias para conviver com a bulimia por tantos anos. Por vergonha e medo de que outras pessoas estranhem seu comportamento, evita certas situações sociais e se isola. A mesma teimosia que a impede de acatar as orientações do médico e a leva a continuar fazendo as coisas do seu jeito prejudicou sua vida profissional. De tanto entrar em conflitos nas várias empresas por onde passou porque simplesmente não admite obedecer a ordens e seguir regras, ela desistiu de ter um emprego. Isso empobreceu ainda mais sua vida, dificultando a recuperação. Eu mesmo fico surpreso por ela não trocar de médico depois de tanto tempo e tão poucos resultados, uma vez que só faz o que quer.

Um desafio que me acompanha o tempo todo na minha prática profissional é separar a minha vontade da vontade do paciente. Como médico, quero que ele pare de se maltratar e tenho a minha visão do que ele deveria fazer para viver melhor. Sempre vejo problemas no uso de drogas, sendo que quanto mais cedo começa, mais graves são os prejuízos. Mas minha vontade pouco adianta se o próprio paciente não quiser ou não fizer sua parte para a transformação acontecer.

As orientações que dou são óbvias. Não digo nada que as pessoas não saibam sobre como ter um estilo de vida mais saudável – não podem beber de maneira exagerada nem usar drogas, têm que fazer exercícios, se alimentar bem, cuidar do sono, controlar o peso e assim por diante. Por isso muita gente quer saber qual é o segredo da minha abordagem e o que eu faço, afinal, para convencer pacientes difíceis – alguns há muitos anos em tratamento com outros profissionais – a mudarem de vida. Falando com pessoas fragilizadas, perturbadas e em sofrimento (que do contrário não estariam se consultando com um psiquiatra), a tendência é que haja resistência e teimosia. Em negação, muitas só ouvem o que querem e quando querem, mesmo sabendo o que precisam fazer para viver melhor. Comportam-se como se fossem, ao mesmo tempo, o problema e a solução.

Minha "arte", se podemos chamar assim, é o modo como me conecto com esses pacientes, falando de maneira clara e direta aquilo que precisam ouvir. De início, estabeleço um acordo: estarei à disposição para ajudar e cuidar deles, mas isso não quer dizer que usarei palavras gentis e amorosas o tempo todo. Às vezes serei enfático, duro e até antipático. Meu papel é mostrar quando estão insistindo em seus erros e se prejudicando por isso, mas que existem saídas possíveis. Também procuro deixar claro quando têm um problema que não é só teimosia e arrogância, mas uma doença. Com calma, paciência e dando um passo de cada vez, como em uma maratona. Àqueles que vivem há anos sem freios ou limites, colocando a própria vida em risco e levando sofrimento a quem está próximo, não hesito em dizer que estão perto da morte. Nem todos se chocam, até porque muitos estão mesmo. Uns não reagem porque vivem anestesiados pelo uso de drogas lícitas ou ilegais, sem um propósito ou ambição que os faça querer sair da situação em que se encontram. Quero que minhas palavras tenham para eles o efeito de uma cardioversão no coração de quem teve um infarto: um choque capaz de fazer com que voltem a viver. Nem sempre consigo.

Ninguém deve se contentar com uma vida "mais ou menos" ou cheia de limitações. Isso é um desperdício. Certa vez disse a Nizan algo que, mais tarde, ele admitiu tê-lo afetado profundamente. Falei que achava uma pena que alguém como ele, tão bem-sucedido, tivesse uma vida tão pobre. Na época ele não era o Nizan saudável de hoje. Tinha poder, dinheiro, influência e muita gente em volta disposta a agradá-lo e elogiar suas atitudes, mas poucas, ou ninguém, para dar o que ele precisava naquele momento em que vivia como um carro desgovernado: limites e a verdade.

Tendemos a protelar ações que trarão mudanças para nossa vida. Quando entendemos que os resultados de nossas atitudes não serão imediatos, a chance de procrastinação é ainda maior. Por isso tanta gente deixa para começar a treinar na segunda-feira, parar de beber depois da virada do ano e assim por diante. Em relação à atividade física, até o corpo se adaptar aos novos estímulos e ser possível perceber mudanças estéticas ou no condicionamento – como menos gordura, músculos definidos e fôlego para correr –, são necessárias pelo menos algumas semanas de treino. Mas em algum momento temos que tomar coragem para fazer o primeiro movimento.

Fazer escolhas e saber dizer não

O primeiro passo para querer mudar é entender o que nos motiva. Perder peso e ter mais disposição, controlar o estresse e dormir bem, conhecer pessoas novas, melhorar o fôlego para brincar com os filhos e netos e assim por diante. Avaliar os ganhos e as perdas de continuar onde está ou abrir mão do estilo de vida atual é o que dará sentido ao seu esforço e ao sacrifício envolvido em todo o processo até alcançar seu objetivo.

Quando meus pacientes dizem que querem viver melhor, mas relutam em abandonar comportamentos e prazeres nocivos, digo a eles que cada escolha contém uma renúncia. Não se pode ter tudo. Não é possível emagrecer sem mexer na alimentação e sem achar tempo para fazer uma atividade física.

Brigar menos com a família, mas continuar usando drogas todos os dias. Sair para baladas toda noite e reclamar que não consegue acordar cedo para treinar. Quando você entende e aceita que não pode ter tudo porque certos objetivos são incompatíveis, ganha tranquilidade para abrir mão daquilo que o impede de viver em harmonia. Pode ser frustrante, é claro, mas aprender a conviver com a frustração, em vez de evitá-la ou buscar compensá-la com comportamentos e prazeres nocivos, leva a crescimento e amadurecimento. Quanto antes se entende que a vida é finita e feita de escolhas, melhor.

Para fazer mais um paralelo com minha vida profissional: penso constantemente que, se eu assumisse menos projetos e responsabilidades, talvez pudesse ser mais presente para minhas equipes e alunos, atender um número maior de pacientes no consultório ou entregar melhores resultados em determinados trabalhos, embora preze sempre pela excelência. Mas escolhi ter múltiplas atuações porque me estimula saber que dessa forma posso ser útil a mais causas e pessoas. Precisei então me organizar, aprender a delegar, confiar e deixar de lado o perfeccionismo a fim de equilibrar minha vontade de entregar qualidade máxima com as limitações de cada contexto.

No futuro próximo possivelmente diminuirei minha carga de trabalho, e não falo por causa da idade. Quero aproveitar cada momento dos anos maravilhosos que estão por vir com a chegada dos meus primeiros netos, gêmeos, João e Antonio, que nasceram enquanto eu escrevia este livro. Estou animado para viver plenamente meu papel de avô, e para isso terei que abrir mão de atividades. Afinal, a vida é assim, feita de escolhas.

O exemplo não é a melhor forma de ensinar alguma coisa. É a única

Com o tempo, fui ficando conhecido como um médico que também é maratonista e triatleta. Até aqui completei 16 maratonas, cinco Ironman e 24 meios Ironman, que consiste em nadar 1,9 quilômetro, pedalar 90 quilômetros e correr 21 quilômetros, o equivalente a uma meia maratona. Muitas vezes isso causa espanto. "Maratonas e Ironman são para caras jovens ou milionários desocupados, que têm tempo de sobra para treinar. Como um psiquiatra, professor, pesquisador e gestor de empresa arruma tempo para isso?" Várias vezes ouvi coisas desse tipo, tanto em tom de admiração quanto de dúvida. Apenas tenho o esporte como prioridade e faço o que é preciso para alcançar as metas que coloco para mim mesmo. Se fosse pensar na idade e nos compromissos como empecilhos, deixaria de realizar uma porção de coisas que tornam minha vida interessante. Pensar muito, achando que assim teremos mais segurança e controle das situações, muitas vezes nos impede de agir e de ousar. Na vida há muitas coisas que não controlamos.

Eu me aproveito, no bom sentido, dessa posição de ser uma referência em um esporte tão desafiador para influenciar meus pacientes a aderir a um estilo de vida mais saudável. Afinal, se eu cheguei tão longe, tendo começado a correr depois dos 50 anos e aprendido a nadar mais tarde ainda, e com uma agenda intensa de trabalho como é a minha, qualquer pessoa consegue. Desde que treine com afinco, como eu, e fuja de desculpas do tipo "falta de tempo".

Não vejo como convencer alguém a mudar algum comportamento se não for por meio do exemplo. Imagine um dentista que tem mau hálito ou um professor de português que escreve errado: quanto de credibilidade eles perdem por isso? Como médico que se propõe a ajudar as pessoas a cuidarem da saúde mental, só posso fazê-las acreditar que sei o caminho se eu mesmo estiver com a cabeça boa. Se quero incentivar o autocuidado, a disciplina, o autorrespeito e o amor-próprio, para mim é evidente que primeiro preciso praticá-los. Tenho defeitos e problemas, dúvidas e inseguranças, como qualquer pessoa. Mas estou sempre atento, encarando-os como desafios e oportunidades de aprendizado, sem fingir que não existem.

Meus pacientes também são pais, mães, chefes, professores. Digo a eles que, se desejam influenciar positivamente seus filhos, funcionários, amigos, alunos, clientes ou seguidores, precisam ser o modelo. Não adianta buscar referências nas redes sociais (apinhadas de "influenciadores" em todos os assuntos), na política ou nos artistas. Se no dia a dia o que cada um pratica é consumo exagerado – de álcool ou qualquer outra coisa –, violência e grosseria, falta de respeito e de autoestima, é isso que está passando adiante.

Promover o bem-estar e ambientes psicologicamente seguros é hoje uma prioridade nas empresas. Profissionais que ocupam posições de liderança, como eu, são muito cobrados pelo exemplo que dão quando se trata de autocuidado. Não importa se têm cinco ou cinco mil pessoas sob seu comando, espera-se deles que cuidem da própria saúde mental para incentivar os outros a fazer o mesmo.

Gosto de pensar que sou uma inspiração positiva para algumas pessoas que buscam viver com mais qualidade. Gosto ainda mais quando posso participar de maratonas e provas de triatlo com pacientes, estudantes e residentes que viraram esportistas. É verdade que muitas vezes eles me ultrapassam correndo ou de bicicleta, principalmente quando são bem mais jovens, e brincam: "E aí, doutor, está difícil?" Mas também acontece de eu deixar um deles para trás no percurso – não é raro – e devolver a provocação: "Vamos lá, campeão, falta pouco!" Está aí um tipo de competição saudável, em que um motiva e vibra com o outro e tudo acaba virando brincadeira. Essa troca entre médico e paciente favorece a recuperação e estimula outros a quererem cuidar melhor de si mesmos. Para mim não tem preço quando, tendo cruzado a linha de chegada ao lado de um desses rapazes, recebo um abraço suado e ouço: "Obrigado, doutor. Se não fosse pelo senhor, eu não faria isso nunca." Nem sempre tenho a oportunidade de dizer quanto fico feliz por encontrá-los ali, mas fico muito.

Em alguns casos, a identificação com o perfil de médico, esportista e amigo mais velho é realmente forte e capaz de transformar uma vida. Aconteceu com um empresário de 35 anos que bebia todos os dias havia dez anos quando foi pela primeira vez ao meu consultório. Ele me procurou porque poucas semanas antes, no dia seguinte a uma noite com os amigos regada a muito álcool, teve uma convulsão em pleno escritório e foi parar na UTI. Levava uma vida desregrada e estava fora de forma, mas me contou que fazia musculação e nadava no mar de vez em quando, mais por diversão, quando ia para o litoral. Perguntei se ele não queria praticar algum esporte. "Já faço academia", respondeu. "Um esporte de verdade", eu reforcei, me referindo ao triatlo. Comentei que ele estava em vantagem porque já sabia nadar, o que não era o meu caso quando comecei.

Começamos a treinar com a mesma assessoria esportiva, e ele deslanchou. Me deixou "no chinelo" como atleta e já não acompanho seu ritmo nas competições, o que me deixa muito orgulhoso. Hoje é triatleta de alto rendimento, tem uma rotina toda pautada pelo esporte e nunca mais bebeu. No momento em que escrevo, ele está se preparando para seu primeiro Ultraman, prova de dificuldade máxima no triatlo, em que o participante completa 515 quilômetros, distribuídos em três dias, nadando, pedalando e correndo. Com a namorada, que ele conheceu nesse processo de se tornar atleta e também é esportista, agora é ele quem dá o exemplo a milhares de seguidores na rede social onde compartilha seu estilo de vida saudável. Ele escreveu um livro para contar sua história de superação e passa adiante a mensagem em que também acredito: para conquistar o que se deseja, é preciso se esforçar e ter disciplina. O sonho dele no triatlo é conseguir o mesmo que eu na minha categoria: quatro vezes uma vaga para o mundial. É só uma questão de tempo, tenho certeza, mesmo sabendo que, assim como não foi fácil para mim, não será para ele.

Em busca de autoconhecimento

Todos que desejam desenvolver autoconsciência e entender os aspectos emocionais por trás de comportamentos e conflitos cotidianos deveriam buscar algum tipo de apoio psicológico, como a psicoterapia, não só quem tem um diagnóstico de transtorno mental. Nem sempre é fácil falar de problemas e pensamentos íntimos que, muitas vezes, têm origem na educação recebida, nos relacionamentos, na família e, portanto, podem causar dor. Mas é fundamental encará-los e parar de buscar culpados pela vida difícil em vez de assumir a responsabilidade pela própria felicidade.

A introspecção é um fator essencial para o autoconhecimento. Vivemos a maior parte do tempo ocupados em atender às demandas externas. Se não fizermos o exercício diário de nos conectarmos com a nossa vida interior, nos distanciaremos cada vez mais de nós mesmos, de nossos valores e daquilo de que precisamos para sermos felizes. O momento da atividade física é uma ótima oportunidade de ficar a sós consigo e observar as sensações do corpo, as emoções e os pensamentos. Essa conexão é muito importante para a saúde mental.

Escrever, por exemplo, pode ser um caminho para se conhecer melhor, não importa se você faz um diário, histórias, frases aleatórias, poesia ou qualquer outro formato de texto. É uma forma de exercitar o estado de presença, acalmar a agitação mental e organizar as ideias – é praticamente impossível escrever uma coisa pensando em outra. Muitas vezes quem tem dificuldade de se expressar oralmente, seja por timidez, seja por não ter com quem desabafar, encontra na escrita uma forma de colocar em perspectiva acontecimentos e sentimentos para melhor compreendê-los e lidar com eles.

Visitei uma paciente de 25 anos que estava internada havia seis meses por um tipo de transtorno de personalidade que causava conflitos e grande sofrimento à família. Ela vinha sendo cuidada por outro profissional e eu estava assumindo o caso naquele momento com as piores expectativas possíveis. O histórico dizia tratar-se de uma moça rebelde e agressiva, que tomava vários medicamentos por dia para ficar sob controle. Na nossa primeira conversa cheguei a pensar que estava diante da paciente errada, pelo seu jeito dócil e comunicativo. "Estou aqui porque acham que sou louca", me disse. Falou que gostaria de sair do hospital, pois sentia falta de encontrar os amigos e passear pela cidade. Eu quis saber quais remédios vinha usando e ela tirou do bolso uma porção de comprimidos: "Há três dias, nenhum." Alertei-a de que isso de interromper a medicação por conta própria é algo que não se faz, mas ela apenas me olhou e perguntou se podia me mostrar uma coisa. Abriu um caderno e começou a ler um poema muito bonito que falava de sonhos, amor e perdas. Perguntei quem era o autor ou a autora: "Eu escrevi. Só consigo quando não estou dopada."

Algumas semanas depois desse encontro ela foi para casa e continua se tratando, sem medicamentos. Mostrou-me outros textos seus e contou que pensava em reuni-los em um livro, ao que dei todo o meu apoio. Fiquei pensando nas armadilhas que a psiquiatria nos prega e no perigo de acreditarmos – não somente médicos, mas todas as pessoas – que remédios sempre podem fazer mais por nós do que nós mesmos quando se trata de questões de saúde mental.

Muitas outras atividades têm a função de nos colocar em contato com aquilo que temos de melhor, se dermos a nós mesmos essa oportunidade. Meditar, exercitar a fé e entrar em contato com a natureza são algumas que gosto de recomendar porque são relativamente fáceis de realizar. Aliadas ao suporte psicológico, são ferramentas de autocuidado e auxiliam na adesão a um tratamento ou a um processo de mudança de hábitos.

Já experimentou meditar?

Vivemos na era do piloto automático: sem prestar atenção de verdade ao que está acontecendo à nossa volta, fazendo várias coisas ao mesmo tempo enquanto deixamos a mente viajar sem controle. Distraídos e acelerados, perdemos a capacidade de refletir e fazer escolhas sábias a respeito de como agir – e não apenas reagir – em cada situação, e assim nos tornamos vítimas, em vez de protagonistas, das nossas decisões. Daí vêm estresse, angústia, ganho de peso e vários outros males que adoecem o corpo e a mente.

Muito do que nos faz sofrer no dia a dia é invenção da nossa cabeça. Imaginamos cenários que nunca existirão, fazemos suposições do que os outros pensam e esperam de nós e, com isso, mergulhamos em uma espiral de negatividade justamente por não focar no que de fato está acontecendo dentro e em volta de nós. Um dos principais benefícios da meditação é nos permitir ver as coisas como são e conseguir responder a elas de modo adequado.

Existem diferentes tipos de meditação, então não vou me limitar a um ou outro. Alguns são ligados a uma religião, como a zen-budista, outros são laicos, como a meditação *mindfulness* (atenção plena). Há técnicas que permitem meditar na posição deitada, sentada em uma cadeira ou um sofá e até caminhando – ou seja, não é pré-requisito ter elasticidade para ficar em posição de lótus. Em comum, todas desenvolvem a consciência corporal – por meio da observação da respiração, dos sentidos e da postura –, que ajuda a conter o excesso de pensamentos e preocupações, tranquilizar a mente e viver com mais positividade.

Até pouco tempo atrás eu não era praticante assíduo. Adotei recentemente o costume de iniciar as reuniões semanais com algumas das minhas equipes meditando por dez minutos, e percebo com clareza os benefícios que a prática traz ao nosso bem-estar. É surpreendente como apenas poucos minutos têm um efeito poderoso de nos trazer calma, lucidez, conexão e até melhorar o humor de quem começaria a reunião agitado ou desanimado.

O treinamento mental, assim como o dos músculos, se faz com tempo e regularidade. Não adianta esperar resultados imediatos ou perfeição. Mesmo meditadores experientes têm dias bons e outros nem tanto; sessões em que a prática flui e outras em que é difícil acalmar o corpo e os pensamentos. Algumas dicas podem ajudar a encaixar a meditação na rotina: estipular um horário fixo, reservar um espaço em casa ou no escritório para a atividade diária e buscar orientação para começar, seja com um instrutor, juntando-se um grupo ou recorrendo a aplicativos que oferecem sessões guiadas.

Como está sua espiritualidade?

O bem-estar espiritual é uma das dimensões da qualidade de vida, tão importante quanto a saúde física, a psíquica e a social, como preconizado pela OMS. Não se trata de abraçar uma religião (embora seja uma manifestação válida), acreditar em milagres ou seguir líderes ou gurus. A espiritualidade pode ser entendida como uma força que ajuda a pessoa a entrar em contato consigo mesma na busca pelo sentido da vida e pelo que transcende o mundo material, sem necessariamente haver uma ligação com algo sagrado. Alguns chegam a isso meditando, outros, fazendo arte, lendo, escrevendo, como a jovem paciente cuja história acabei de contar, ou se engajando em qualquer atividade que permita entrar em contato com sua essência.

Neste mundo pasteurizado e pobre em boas referências de comportamento e atitude, muitos acabam levando uma vida superficial e sem significado, passando o tempo e contando seguidores e *likes* nas redes sociais. Ter um propósito maior e algo a que se apegar nos momentos difíceis pode fazer diferença para que alguém deixe de procurar prazer e felicidade nas drogas, no uso excessivo de álcool, na comida ou em relacionamentos tóxicos.

Fazer parte de um grupo – de meditação, oração, discussão, trabalho social ou outro – é um ponto positivo de se engajar em práticas de autoconhecimento e espiritualidade. Mas também pode haver aspectos negativos: por exemplo, quando a pessoa assume uma postura passiva diante de um problema ou tratamento achando que Deus, os anjos ou algum tipo de oração vai resolver tudo. Ou quando, não obtendo os resultados ou a melhora esperada em alguma situação, passa a se ver como punida ou abandonada. Cada um é o único responsável pela transformação que deseja alcançar.

A natureza nos ensina todos os dias

Morei minha vida inteira na cidade de São Paulo, com exceção dos quase dois anos que vivi em Baltimore, nos Estados Unidos, enquanto cursava o pós-doutorado na Universidade Johns Hopkins, no começo dos anos 1990. Gosto da movimentação da cidade, mas não posso negar que ganhei qualidade de vida desde que comecei a passar a maior parte do tempo na praia, onde morei na fase mais crítica da pandemia, entre 2020 e 2021. Continuo trabalhando muito, mas estar perto das montanhas e rodeado de muito verde, acordar com o canto dos pássaros e treinar de frente para o mar trazem uma energia diferente para os dias e me deixam mais relaxado de modo geral. No entanto, nem tudo é calmaria. A vida "selvagem" também tem emoção e prega sustos, como encontrar cobras venenosas no jardim ou dar de cara com uma família de macacos me observando na varanda. Experiências assim nos lembram que existe (muita!) vida além no nosso cotidiano na cidade, ensinam coisas novas e garantem boas histórias. Imagine passar vários minutos assistindo ao pica-pau insistentemente fazer um ninho, olhar um casal de tucanos namorando e nadar no mar rodeado por tartarugas. Quanto vale isso?

Os japoneses há bastante tempo comprovaram cientificamente que estar em contato com a natureza eleva o bem-estar físico e mental. Desde os anos 1980 a prática de contemplar, caminhar e respirar em ambientes com vegetação abundante é reconhecida no Japão como terapia de saúde integrativa e complementar por seus benefícios, como redução do estresse e da ansiedade e melhora do humor e da qualidade do sono. Essa terapia tem nome: *shinrin-yoku*, que significa algo como "banho de floresta" em português. Tais efeitos positivos seriam resultado da combinação da tranquilidade desses lugares, que favorece a introspecção, com o ar puro e a proximidade de árvores, plantas e flores, responsáveis pela liberação de substâncias químicas que, quando inaladas por nós, diminuem os níveis de cortisol e ativam o sistema de defesa do organismo.

Ser feliz é ter tempo para a vida

NIZAN GUANAES

Sou fascinado pelo filósofo grego Aristóteles, que 300 anos antes de Cristo escreveu sobre a felicidade e os caminhos que levam a ela. Ele usa de uma profunda e surpreendente simplicidade para mostrar um conjunto de coisas que nos levam a ser felizes e a viver aquilo que chamava de "boa vida". A vida com significado.

Aristóteles diz que a felicidade é uma religião sem Deus. E que ela advém de escolhas e de um conjunto de ações disciplinadas para implementar essas escolhas. A felicidade é comandar nosso cavalo: não é ele que deve conduzir você para qualquer caminho, é você que leva o seu cavalo interior para o caminho que escolheu.

O que Arthur Guerra fala não é original. É mens sana in corpore sano, *como disse o poeta romano Juvenal centenas de anos antes de Cristo, respondendo sobre o que as pessoas deveriam desejar na vida:*

Deve-se pedir em oração que a mente seja sã num corpo são. Peça uma alma corajosa que careça do temor da morte, que ponha a longevidade em último lugar entre as bênçãos da natureza, que suporte qualquer tipo de labores, desconheça a ira, nada cobice e creia mais nos labores selvagens de Hércules do que nas satisfações, nos banquetes e nas camas de plumas de um rei oriental. Revelarei aquilo que podes dar a ti próprio. Certamente, o único caminho de uma vida tranquila passa pela virtude.

Os homens de hoje se equivocam em pensar que o futuro só está no futuro. Boa parte dos homens que pensaram, definiram e deram base ao futuro estão no passado. Em seu maravilhoso livro Aristotle's Way (O caminho de Aristóteles), *a historiadora inglesa Edith Hall descreve, uma por uma, as ações de autocuidado que guiam à felicidade, segundo o filósofo grego. Escolhas, exercícios físicos, amor, amizade, comedimento, espírito comunitário e uma relação sábia com a morte.*

Uma frase histórica no primeiro parágrafo da Constituição dos Estados Unidos diz que todo homem tem direito a perseguir a felicidade. Essa frase existe por influência de Aristóteles sobre os pais fundadores da grande nação norte-americana. E o que é felicidade? É desfrutar de uma vida cheia de propósito. É organizadamente ter tempo para a vida.

Um dia alguém me disse: "Nizan, você é um grande profissional. Você tem que ser profissional também em relação à sua vida."

Durante boa parte da minha vida eu não tinha tempo para nada. Não tinha tempo para mim, que dirá para os outros. Eu *vivia dentro da minha cabeça tentando consertar o passado, sofrendo ansiosamente para tentar prever o futuro. E não me deliciava com o único dia que realmente existe: o dia de hoje. Eu não aproveitava a jornada. Não prestava atenção no que as pessoas falavam. Nunca estava presente.*

Assisti a uma palestra de um grande professor de Harvard a respeito do livro que ele escreveu sobre a felicidade. Depois de descrever com todos os dados científicos o comportamento das pessoas felizes, o autor concluiu que a felicidade é viver como a sua avó viveu. Minha sogra é o maior exemplo disso. Na casa dos 80 anos, ela faz exercícios, tem vida espiritual, ri muito, esquenta muito pouco a cabeça com as coisas. Ela tem a própria loja para tocar e com que se preocupar, dirige o próprio carro, cuida das amigas com muito carinho. É uma matriarca dedicada e ainda tem tempo para ir às compras e jantar com os netos. E para beber vinho com a família e com as amigas. Ela não é só minha sogra, ela é meu exemplo. E a Donata herdou dela essa habilidade de desfrutar a vida de maneira sábia.

O dalai-lama diz em um livro que 20% das pessoas já nascem felizes, com o sol na cabeça. Os outros 80%, nos quais eu me incluo, só serão felizes por mérito. Tirando leite de pedra, correndo atrás da felicidade, suando atrás dela. Se hoje eu sou feliz é por mérito. Nasci ansioso, preocupado, paranoico, estressado. Fui um gordinho feliz na infância, já prenunciando um neurótico na adolescência e, depois, completamente desfocado e descuidado na vida adulta. Descuidado comigo e, sobretudo, descuidado no trato com os outros.

Eu ganhava os prêmios de publicidade e não desfrutava da vitória. Viajava pelo mundo, mas não aproveitava a viagem porque estava preocupado, trancado dentro de mim. As pessoas dizem que a vida é curta, mas se você curtir a vida, ela não vai ser curta, vai ser longa. Porque você vai desfrutar do almoço com os amigos sem ficar olhando a toda hora o celular. Vai saborear cada minuto se estiver presente de verdade.

Há alguns anos fui jantar com um amigo na melhor casa de Trancoso. Eu já havia alugado aquela casa antes, mas não lembrava nada dela. É como se eu nunca tivesse estado lá. A única coisa que eu recordava era o dinheirão que ela me custara, mas não lembrava quanto ela tinha valido. Com a ajuda do Arthur Guerra e de sua equipe, e com obstinação, disciplina e por mérito meu, hoje eu desfruto mais da vida.

Meu irmão, André Guanaes, tem um grupo de amigos que ele cultiva desde a época da escola. De amigos, eles viraram irmãos. Fizeram uma viagem pela Europa e cada um deles tinha uma letra escrita numa camiseta, formando, quando estavam juntos, a palavra AMIGOS. Uma coisa meio cafona, mas o amor é cafona. O André cuida desses amigos como se fossem uma religião. Ele leva a sério, é profissional na arte de ser feliz.

A Donata – que, além de ser minha mulher, eu digo que é minha pediatra, porque eu sou infantil – me disse: "Amigo dá trabalho, Nizan."

Zé Maurício Machline, que é meu melhor amigo, é o mais dedicado dos amigos. Ele liga, procura, fica em cima, consola, escuta, chama para viajar, insiste. A gente quer ter amigos, mas não sabe ser amigo como o Zé Maurício é. Donata me ensinou isso na prática com seu exemplo, não só na teoria.

Só eu sei quanto já sofri correndo atrás dessa tal felicidade, o que já vivi de descaminhos procurando por ela. Só que eu decidi *ser feliz, eu aguento ser feliz. É diário, não tem linha de chegada. Ser feliz é uma decisão cotidiana. É como eu escrevo numa pequena música de gratidão que compus para repetir todos os dias ao acordar:* "Eu agradeço, meu Deus, por mais este dia de vida, por tanta graça recebida, ó, Deus da minha vida. Eu agradeço, meu Deus, por tudo que me destes e tirastes. E prometo fazer a minha parte neste dia de vida."

Autocuidado é levar a felicidade a sério, sabendo que ela não vai cair do céu. É fazer a nossa parte a cada dia de vida, aristotelicamente.

CAPÍTULO 4

Esporte é o melhor remédio

ARTHUR GUERRA

Eu poderia começar falando dos inúmeros benefícios que fazer exercícios traz à saúde, como já se sabe há bastante tempo. Todas as especialidades médicas atualmente recomendam uma vida ativa como forma de prevenir doenças. Poderia também citar o papel-chave da atividade física em processos de emagrecimento quando combinada com uma alimentação saudável, pois torna o metabolismo mais eficiente, eleva o gasto energético e aumenta a consciência corporal. Mas o principal motivo pelo qual acredito no esporte como ferramenta terapêutica, a razão pela qual todos deveriam buscar um jeito de incluí-lo na rotina, é que ele nos empodera.

Muitos pacientes psiquiátricos têm em comum a falta de autoestima e de amor-próprio. Independentemente do problema que enfrentam, acham-se feios, estranhos, bizarros, inadequados, loucos. Muitos acreditam que não valem nada e não servem para nada, por isso não se cuidam, adotam comportamentos destrutivos e deixam de lado o que sabem que deveriam fazer para ficar bem. Uma lição que o esporte ensina é que somos capazes de muito mais do que imaginamos. Não é preciso virar fanático ou buscar alto rendimento: quando permitimos que faça parte da nossa vida e nos dedicamos a ele, ganhamos uma percepção mais positiva de nós mesmos em muitos sentidos.

Sou uma prova disso. Comecei a jogar basquete nos meus tempos de colégio. Eu era um garoto inseguro porque me achava feio, era muito magro e bem mais alto que os outros meninos. Como não tirava boas notas e tinha dificuldade em várias matérias, me sentia um pouco burro. Para piorar, eu era gago. Sofria muito *bullying* nessa época. Meus amigos mais próximos podiam brincar comigo, mas quem não era do nosso grupo não tinha a mesma liberdade. Esses recebiam severos comentários se assim o fizessem, e com isso eu me sentia protegido. Éramos como uma família saudável, espontânea e engraçada. Nunca poderia imaginar que fosse me transformar em um professor e médico com milhares de seguidores em uma rede social. Como o mundo dá voltas!

Ganhei o apelido de Gaguinho, e à medida que fui crescendo virei Gagão. A limitação que eu tinha em sala de aula e no convívio com a turma eu compensava nas aulas de educação física, nas quais me destacava. Passei a ser visto como um bom jogador de basquete, representava a escola nas competições intercolegiais e fui convidado a competir pelo clube do qual era (e ainda sou) sócio. Assim, fui me enturmando e ganhando autoconfiança. Quando chegou a hora de escolher uma faculdade, garanti minha aprovação em educação física. Mas meu pai, muito tradicional, me proibiu de começar o curso porque achava que eu não teria trabalho e um futuro próspero; era o pensamento da época. Então fui fazer medicina, que me parecia o mais próximo para quem se interessava pelo corpo humano, como eu.

Entrei na Faculdade de Medicina do ABC. Em pouco tempo ingressei no time de basquete da universidade e participei de várias edições dos jogos universitários. Continuei jogando pelo clube como atleta federado. Nessa fase eu tinha uma rotina de treinos quase profissional. Sentia-me à vontade e realizado no ambiente esportivo, mas lá pelo quarto ano da faculdade percebi que não daria para conciliar a vida puxada de estudante de medicina com a de atleta, que demandava disponibilidade para treinar e viajar para os campeonatos. Fui parando de jogar à medida que me envolvia com o curso. O ponto final dessa jornada foi a convocação, em 1978, para os JUPs, Jogos Universitários Paulistas. Eu era um dos 12 representantes de Santo André. Viajamos para Catanduva na ocasião e todos os jogadores eram profissionais, menos eu. Que honra era estar no meio deles! No banco de reservas, eu vibrava a cada cesta, a cada jogada. De repente, o técnico do time olhou na minha direção e disse: "Agora, você." Minha primeira reação foi olhar em volta para ter certeza de que era comigo mesmo que ele estava falando. Sim, era comigo. Revivendo essa história, vejo que a sensação foi a mesma que tive diante do mar no Ironman em Fortaleza, em 2014: coração na boca, pelos arrepiados e a dúvida: "Será que vou dar conta?" E lá estava eu jogando pela seleção campeã dos JUPs. Mais uma vez, abraçando o desafio e com a sorte ao meu lado!

Só voltei a praticar esporte quase trinta anos depois, incentivado por meu filho. Eu levava uma vida agitada, trabalhava muito e não tinha a consciência que tenho hoje de como é importante equilibrar vida profissional e outros interesses. Estava bem acima do peso e, além de ser sedentário, minha alimentação era ruim e sem qualquer disciplina. A primeira providência foi consultar uma nutricionista, mas não demorei a perceber que fazer dieta, isoladamente, não me ajudaria a emagrecer: contratei um personal trainer e iniciei uma rotina de musculação e corrida.

O começo foi muito duro. Imagine despertar um corpo havia décadas adormecido para os exercícios. Faltava fôlego, as pernas doíam, eu sentia câimbras. Aos poucos, fui me desafiando a correr provas de 5 e 10 quilômetros, evoluindo para meias maratonas e maratonas. Quando já contava mais de uma dezena de maratonas no meu histórico, embarquei na ideia de me preparar para o triatlo. Mas para isso teria que vencer um grande obstáculo: eu não sabia nadar.

Na verdade, eu tinha medo e memórias ruins ligadas ao mar: quando eu era criança, um ouriço-do-mar machucou meu joelho e nunca fiz as pazes totalmente com a água. Já adulto, me lembro do sufoco que passava e das brincadeiras que faziam comigo quando, ainda namorando minha atual esposa, saíamos para passear de barco com a família dela. Eu não sabia mergulhar nem nadar, evitava entrar na água mesmo no maior calor e, quando entrava, ficava sempre perto de algo a que pudesse me agarrar em último caso. Enquanto todos se divertiam pulando em alto-mar, eu tinha a sensação de apenas tentar sobreviver.

Quando entrei para o triatlo, precisei aprender a nadar do zero, segurando na borda da piscina e batendo as pernas para trás. Não tinha fôlego nem força para completar 25 metros, mas persisti até conseguir. Os amigos que fiz treinando foram fundamentais nessa época: eu combinava de praticar com aqueles que nadavam bem e pegava dicas de como melhorar, respirar corretamente e economizar esforço nos movimentos. Em compensação, tinha que aceitar suas brincadeiras carinhosas. Ganhei o apelido de Doutor Prego pelo jeito como pulava na água, com o corpo na vertical, completamente duro. Eles me davam caldos, debochavam do meu ritmo toda vez que me ultrapassavam na piscina ou no mar. Nunca imaginei que continuaria sofrendo *bullying* depois de adulto. Como eu era um corredor razoável e enganava bem na bicicleta, aproveitava para me vingar nessas modalidades: saía depressa da água e dava o recado: "Espero vocês lá no final!"

Nunca fui ótimo em nenhum dos esportes do triatlo, na verdade. Minha classificação para quatro mundiais se deveu mais a meus resultados regulares do que a tempos muito bons. Com treinamento adequado, determinação para me preparar fisicamente e bom humor para não levar a zombaria como ofensa pessoal, fui vencendo a limitação mental que eu tinha em relação à natação. Ainda hoje não é uma modalidade que me dá prazer nem que tiro de letra. Quando saio do mar, me livro da roupa de borracha e subo na bicicleta, seja qual for o tipo de triatlo (o Ironman é o mais difícil, mas há outros, com distâncias menores), considero que a pior parte ficou para trás. É como se tivesse completado metade da prova, apesar de ter muito mais do que isso pela frente. A cada competição, a sensação de mais uma vez ter me superado é maravilhosa.

Uma mente forte para um corpo forte

Em qualquer esporte de resistência, o sucesso depende metade do preparo físico e metade da mente. O corpo é uma máquina incrível, que se adapta ao que for estimulado a fazer de modo repetitivo e melhora na medida em que é gradualmente mais exigida durante o treinamento. Na maratona, se você tiver cumprido à risca suas planilhas e chegar no dia da prova sem lesão, em tese não há razão para não completar o percurso. Espera-se que a essa altura o atleta já tenha um bom tempo de experiência e esteja acostumado com corridas longas.

Também é preciso preparar a mente. É inevitável sentir-se ansioso na véspera e nos minutos antes da largada de um Ironman ou outra competição para a qual você tenha se empenhado. Uma ansiedade boa: só queremos colocar à prova nosso esforço até ali e pegar a medalha, de preferência com um pouco de diversão durante o trajeto. Pelo menos é assim que encaro. Não me interesso por derrotar ninguém nem me preocupo em chegar em primeiro lugar. Deixo isso para os atletas profissionais. Corro pensando em me desafiar, em fazer um bom tempo em comparação com meu desempenho até aquele evento, em aprender alguma coisa sobre mim e sobre como fazer melhor da próxima vez. Não há perdedores quando essa é a mentalidade. Obviamente, é um prazer chegar na frente dos meus amigos-irmãos, que, sem misericórdia, continuam fazendo *bullying* comigo. Talvez eles também sintam prazer nisso. Só a psicanálise para explicar...

Ninguém sabe o que pode acontecer entre a largada e a linha de chegada de uma prova, por mais que tentemos nos antecipar a imprevistos. Quando se tem dez ou 12 horas de esforço pela frente, o tempo médio que atletas amadores levam para concluir o maior desafio do triatlo, é importante estar com a cabeça boa para superar possíveis obstáculos, como dor, câimbra, queda, calor, desidratação e vontade de ir ao banheiro, e seguir, um quilômetro após o outro.

A jornada de preparação para um evento de longa distância é tão ou mais dura do que a prova em si. O treinamento para uma maratona costuma demorar, em média, 15 semanas, dependendo do nível de condicionamento do atleta. Inclui treinos vários dias por semana, sessões de fortalecimento para prevenir lesões, alimentação adaptada à individualidade e às metas do esportista e uma rotina minimamente regrada para que todo o esforço não seja em vão. Quando se tem um objetivo claro e disciplina para aprender e praticar o que for necessário para chegar lá, o processo se torna motivador.

No tempo que antecede a competição, muita coisa pode abalar nosso equilíbrio mental. Comigo já aconteceu de quebrar o dedinho do pé. Foi em 2018 e faltavam três semanas para a Maratona de Tóquio. Eu estava na fase final de preparação, com a passagem para o Japão comprada, e era a última prova que faltava para conquistar a mandala, que é a medalha entregue aos corredores que completaram as seis maiores maratonas do mundo, as *majors*. Nem passava pela minha cabeça deixar de participar. Se eu conseguisse a mandala, me tornaria o segundo atleta do meu clube, o Esporte Clube Pinheiros, e o quinto do Brasil a tê-la. As *majors* são as Maratonas de Londres, Nova York, Berlim, Chicago, Boston e Tóquio.

Em um fim de semana em casa, fui correr para pegar alguma

coisa no jardim e, como estava descalço, enrosquei o dedinho no pé de uma cadeira. Ouvi o barulho do osso quebrando. Na hora só pensei em colocar o dedo no lugar, enfaixar o pé e ir o mais depressa possível para o ortopedista, que tirou radiografia e constatou a fratura. Contei que iria correr uma maratona dali a três semanas. "Tenha bom senso, Arthur. Em jovens a recuperação desse tipo de lesão levaria seis semanas com o pé imobilizado. No seu caso serão no mínimo oito", disse. Fiquei muito chateado, mas, no fundo, o comentário me instigou ainda mais a querer correr. Então me informei sobre as possíveis complicações: dor insuportável e uma chance grande de precisar de cirurgia depois para consertar o estrago de correr 42 quilômetros com um dedo quebrado. Procurei uma segunda opinião médica, outro ortopedista que me desaconselhou a correr, naturalmente, mas me deu esperança de conseguir fazer a prova desde que mantivesse uma atadura adequada e realizasse alguns exercícios diários de fisioterapia até lá.

Na véspera da viagem, longe de estar plenamente recuperado, fui alertado pelo médico de que talvez a dor não me deixasse terminar o percurso. Além disso, era bem possível que eu acabasse a corrida com dor no joelho, no quadril e nas costas, além de dor no pé "bom". Isso pode acontecer quando, para evitar a dor em uma parte do corpo durante o exercício, deslocamos o peso para outra e acabamos fazendo o movimento errado. Quis tentar mesmo assim, e por precaução levei um analgésico no bolso da bermuda. Quero deixar claro que não recomendo a ninguém que siga meu mau exemplo de correr lesionado, mas assumi o risco e consegui concluir a maratona. Senti dor, mas não na intensidade que esperava, tanto que joguei o comprimido fora assim que cruzei a linha de chegada. Não fiz um bom tempo, mas me senti vitorioso e confirmei que quando a mente está preparada e focada em um objetivo, o corpo pode ir muito além do que imaginamos. De novo, o espírito do Ironman em Fortaleza, mas agora na Maratona de Tóquio.

Fiquei sem argumentos para convencer um paciente, profissional do mercado financeiro que tinha problemas com drogas e uma teimosia quase patológica, quando ele me disse que começaria a treinar para o triatlo por conta própria, sem técnico. "É loucura", eu falei, mas ele conhecia minha história da Maratona de Tóquio e tive que me dar por vencido. E não é que ele já participou de alguns meios Ironman, sempre fazendo questão de me mandar fotos com a medalha no peito e um sorriso no rosto? Volto a contraindicar que alguém tente fazer o mesmo, mas não posso negar que me senti orgulhoso do rapaz, pela conquista e pela ousadia.

Sobre ter metas e correr atrás – no treino e na vida

Quando nossos objetivos são claros, fica mais fácil ver sentido em se empenhar diariamente em algo que não será agradável o tempo todo – pode haver dor, preguiça, lesão – e não desistir. No esporte, assim como em tratamentos de saúde mental, estabelecer metas ajuda a nos mantermos motivados durante o processo. Metas são os degraus que levam a um objetivo maior.

Em esportes de resistência, só é possível evoluir com planejamento. O preparador físico é o profissional responsável por essa parte: é ele que vai montar um programa de treinamento levando em consideração os objetivos individuais, o condicionamento e a disponibilidade da pessoa para se exercitar. Mas de nada adianta um bom plano se não houver disciplina para segui-lo. Para quem está com a vida desorganizada e sem direção, como boa parte dos pacientes que começam a se tratar comigo, estipular metas é importante para sair da inércia inicial e ser capaz de perceber avanços. Participo ativamente dessa etapa, seja ajudando a escolher provas de rua que vão disputar (e às vezes me inscrevendo também), seja definindo pequenas conquistas a buscar. Definir metas ajuda a desenvolver uma noção de direção e responsabilidade que pode ser benéfica à autoestima e à saúde mental.

De certa forma, é como planejar uma viagem. Se o destino é internacional, precisamos nos organizar para tirar o passaporte e os vistos necessários. Decidir o período da estadia, reservar a hospedagem, comprar as passagens de ida e volta. Convém checar como é o clima do lugar na época, separar as roupas adequadas, informar-se sobre a moeda local e se será necessário providenciar dinheiro vivo. No dia da partida, arrumar o transporte até o aeroporto e se organizar para chegar a tempo para o voo. Sem vencer esses passos intermediários dentro de determinado prazo não há como alcançar o objetivo de viajar. Na profissão, em nossos relacionamentos, em questões de saúde ou de dinheiro, definir aonde se quer chegar é o ponto de partida. Depois vem a escolha de quais caminhos seguir.

Tão importante quanto traçar metas é garantir que elas sejam realistas e possíveis de alcançar. Só assim terão gosto de vitória, não de frustração. Precisam ser desafiadoras, mas não inacessíveis. Têm que ser factíveis, mas não fáceis a ponto de permitir que você se acomode no meio do caminho. Ser capaz de perceber avanços, principalmente quando se está no começo de um tratamento ou jornada por mais qualidade de vida, nos motiva a persistir.

Qual foi a última vez que você estipulou metas para a sua vida e sentiu-se motivado a persegui-las?

Para alguém sedentário que finalmente decide começar a fazer alguma atividade física, não adianta colocar como meta inicial correr uma maratona. Isso dificilmente será possível, pelo menos não com segurança. A corrida é um esporte de impacto, a preparação para provas longas exige tempo – pelo menos um ano, talvez dois – e ter pressa pode levar iniciantes a cometerem excessos que resultarão em lesões e desmotivação. É mais sensato começar aos poucos, participar primeiro de competições menores (de 5 e 10 quilômetros, no máximo meias maratonas) e progredir até ser capaz de completar distâncias maiores.

Muitas pessoas que fazem dieta para emagrecer cometem o erro de tentar perder muito peso em pouco tempo. Querem eliminar 10 quilos em um mês para uma festa ou antes de o verão começar. Não há como fazer isso de modo saudável. Pelo contrário: existe um risco grande de adotar comportamentos alimentares prejudiciais e mesmo assim não alcançar o resultado desejado. Ou seja, decepção na certa. Nesse caso, pensar em uma reeducação alimentar, em vez de uma dieta rígida, e se concentrar em perder um quilo após o outro é mais sensato, seguro e sustentável.

Também é preciso considerar o próprio contexto de vida e as limitações individuais ao desenhar metas que trabalhem a seu favor, não contra você. Eu adoraria bater o recorde mundial de uma maratona de 42 quilômetros, que atualmente é de duas horas e um minuto e pertence a um corredor queniano. Mas tenho consciência de que, na minha idade e com o meu biótipo, isso é impossível. Provavelmente nem em três horas eu conseguiria, mesmo que contratasse o melhor preparador do mundo, parasse de trabalhar, turbinasse meu treinamento e mudasse a alimentação. Conheço e confio no meu potencial de corredor, mas, além de não ter as características físicas desejáveis, minha vida não comporta uma meta dessas.

Nos campeonatos mundiais de que participei, fiquei impressionado com a quantidade de atletas na minha faixa etária que mantêm um alto nível competitivo. Conversando com eles, confirmei o que já suspeitava: não como eu, que tenho o esporte como um hobby levado a sério, alguns têm uma rotina totalmente voltada para o desempenho nas provas. Muitos são aposentados ou nunca trabalharam e organizam seus dias em função da preparação, com horários determinados até mesmo para ir ao psicólogo, ao nutricionista e ao dentista, além de treinarem muito. Como sou feliz trabalhando e ainda não penso em me aposentar, não pretendo me igualar, muito menos ultrapassar os atletas de ponta na minha categoria em tempos ou vitórias. Ser o melhor não é o que está em jogo para mim. Estar com eles conta muito mais.

O que falhar no esporte ensina sobre falhar na vida

Mesmo com disciplina e os treinos adequados, pode ser que as coisas não saiam como o previsto ou o desejado em uma prova esportiva e, por algum motivo, você seja obrigado a diminuir o ritmo ou mesmo desistir em algum ponto do percurso. É o que chamamos de "quebrar" na corrida. Comigo já aconteceu algumas poucas e inesquecíveis vezes. A mais recente foi na Meia Maratona do Rio de 2021, a primeira prova de que participei após quase dois anos de treinos reduzidos por causa da pandemia. Já fiz dezenas de corridas de 21 quilômetros e estava muito animado, mas aquela foi minha pior atuação em meias maratonas. Até o quilômetro 17 do percurso eu fui mal, não consegui encontrar um ritmo. Dali até o final fui pior ainda: senti dores no quadril que nunca havia tido antes. Cruzei a linha de chegada andando, ou, melhor, mancando. Uma vergonha.

Não quebramos só no esporte. Podemos quebrar no trabalho – o *burnout* é isso, quando o corpo e a mente não aguentam a pressão e entram em pane. Também podemos errar ou fracassar nos nossos relacionamentos, na criação dos filhos, nas escolhas que fazemos e nas decisões que tomamos todos os dias. Em qualquer situação, quebrar não pode representar o fim da linha nem definir quem somos. Não é porque terminei aquela meia maratona caminhando que deixei de ser um bom corredor ou desisti de participar desse tipo de prova. É claro que episódios assim podem gerar frustração, vergonha e outros sentimentos incômodos quando pensamos no tempo e no esforço que investimos e nas expectativas que criamos. Mas se encararmos a experiência como um obstáculo, entre tantos que a vida e a corrida certamente vão colocar na nossa frente, tudo fica mais leve.

Não existe uma fórmula ou receita para lidar com os desapontamentos de modo a evitar que nos abalem. Porém, acredito que ser capaz de extrair aprendizado de nossos pequenos e grandes fracassos é uma forma de dar um novo significado a eles e valorizar nosso empenho. No meu caso, quebrar na meia maratona serviu para confirmar que treinar é fundamental e que eu não deveria ter insistido em correr 21 quilômetros tendo me preparado para apenas dez, como aconteceu. Provavelmente não repetirei esse erro. Quebrar, na vida e no esporte, talvez não seja o mais importante. Faz parte, assim como competir e perder, ou querer e não conseguir. Como reagimos à situação é o que conta, e é isso que deveríamos observar se o objetivo é crescermos em todos os nossos papéis no dia a dia. O importante é não desistir. Em vez de se julgar, se culpar ou se diminuir diante de uma derrota ou de um erro, que tal ser mais gentil consigo ou baixar um pouco a expectativa da próxima vez? Que tal se preparar melhor? E por que não trocar ideias com amigos que tiveram experiências semelhantes? Tudo isso faz parte de cultivar emoções e atitudes positivas diante das frustrações para, então, nos sairmos melhor quando tivermos outra oportunidade.

Você, leitor, já "quebrou" alguma vez em sua vida?

No esporte, é o técnico quem ajuda o atleta a se reprogramar para que ele consiga conquistar novas metas, mantendo-se sempre estimulado. Em questões de saúde, o médico oferece apoio quando recebemos um diagnóstico que nos desestabiliza. E na vida, quem vai nos reerguer quando as coisas não saírem como esperávamos e tivermos que recomeçar? Vai acontecer muitas vezes no trabalho, com a família e com a nossa saúde mental. Nós mesmos temos que fazer isso. O treinador pode orientar o esportista, mas não trilhará o caminho por ele.

Da mesma forma, temos que aprender a nos levantar cada vez que caímos. Assim construímos resiliência, força e proatividade, que são ferramentas para a vida.

Meu treinador sempre diz que na corrida não há atalhos. É a cada passada, um quilômetro após outro, que nos tornamos corredores melhores. Com dedicação, consistência e paciência, não correndo além do que está na planilha, nem usando um monte de suplementos sem orientação ou acreditando que algum acessório ou tênis tecnológico vai levá-lo mais longe. Na vida também é assim: nos fortalecemos enfrentando os obstáculos e as dificuldades diárias. No esporte profissional, o *doping* é um atalho. Funciona para elevar o rendimento esportivo, mas está fora das regras do jogo. No dia a dia, algumas pessoas usam bebida alcoólica em excesso, remédios e outras drogas como se fossem caminhos mais curtos para o bem-estar, mas é pura ilusão. As melhores coisas da vida requerem esforço para serem conquistadas.

O Ironman é um grande objetivo de quem pratica triatlo, e ninguém chega lá da noite para o dia. A maioria dos atletas já tem uma boa bagagem acumulada em treinos e provas antes de se lançar nele. Comigo foi assim. Participando de diferentes competições compreendemos como nosso corpo se comporta nos vários momentos do percurso. Assim, temos a chance de desenvolver táticas que vão melhorar nossa experiência e, quem sabe, o tempo de prova – como o jeito mais ágil de calçar e descalçar a sapatilha antes de subir e descer na bicicleta, trocar um pneu, quando tomar água e gel energético, como respirar para poupar esforço, em que pontos do trajeto aumentar e diminuir a velocidade. Esses aprendizados serão nossos para sempre se tivermos paciência e persistência para vencer as etapas que levam ao desafio maior sem pegar atalhos.

Falo bastante em corrida e triatlo porque me encontrei nessas atividades, então tenho muitos argumentos para incentivar meus pacientes e leitores a praticarem. Mas sei que nem todo mundo é como eu. Qualquer modalidade esportiva que tire o corpo da inatividade trará ganhos para a saúde física e mental. Se me perguntam como escolher o exercício ideal, minha primeira resposta é: tem que ser algo prazeroso. Uma pessoa só vai se exercitar com entusiasmo se for algo de que goste.

E quando se trata de alguém que nunca fez atividade física e, portanto, não tem repertório para saber do que gosta? Então sugiro que escolha qualquer uma que faça transpirar bastante, deixe a respiração ofegante e o rosto corado ao final do treino, sinais de que houve desafio e você chegou mais perto do seu limite. É possível conseguir isso com aulas de dança, tênis, luta, crossfit, *beach tennis*, futebol – cada um vai se sentir atraído por uma modalidade. No começo pode ser desconfortável e dolorido. Os primeiros cinco minutos de um treino ou prova de corrida nem sempre são agradáveis: as pernas pesam, a respiração não acompanha o ritmo... Até que tudo se encaixa, as endorfinas e outras substâncias de bem-estar liberadas durante o exercício entram em ação e vem a sensação deliciosa.

É isto que espero dos pacientes quando proponho que façam algum esporte, afinal: que conheçam seus limites. Primeiro os do corpo, para então descobrir os limites mentais e emocionais, até onde podem ir sem se prejudicar.

Por último, para uma atividade virar hábito, tem que caber no dia a dia. Você pode adorar surfar, mas mora a duas horas da praia e entra cedo todo dia no trabalho. Qual é a possibilidade de fazer do surfe um treino regular? Não estou falando de um hobby de fim de semana. Ou você decide que quer fazer equitação: há uma hípica na sua cidade? Você pode pagar as aulas? Para entrar na rotina, tem que ser algo viável. Do contrário, talvez você esteja arrumando desculpas para continuar onde está.

Um publicitário de 45 anos me procurou em meio a uma crise depressiva desencadeada pelo fim de um relacionamento. Contou-me que a vida estava uma bagunça havia pelo menos vinte anos: tinha uma relação difícil com o filho adolescente, uma rotina profissional que invadia os fins de semana, estava muito acima do peso e sob forte estresse, sofria de insônia e sua alimentação era desregrada. Sem falar nos desentendimentos que culminaram no rompimento recente com a ex-namorada, de quem ainda gostava. "Não aguento mais", desabafou. Sugeri que ele começasse a fazer pequenas mudanças no trabalho, terminando suas tarefas mais cedo nos dias úteis e deixando os sábados e os domingos livres. Na mesma semana ele se matriculou na academia e começou a correr na esteira, ainda que não tenha se entusiasmado com minha ideia de participar de provas de rua. Em poucos meses aquele paciente parecia outro: passou a se alimentar melhor e emagreceu, ia para cama mais cedo toda noite, retomou os cuidados com a coleção de carros antigos que mantinha com o irmão, aproximou-se do filho, voltou com a ex-namorada.

Essa história mostra como pequenos gestos podem desencadear uma grande transformação mental, que irá se refletir em mudanças físicas. Mas o processo não terminou, apesar de o paciente estar satisfeito com as conquistas até aqui e sentir que as coisas voltaram a entrar nos eixos. Construir uma vida saudável é um percurso longo, que completamos passo a passo.

Vejo algumas vantagens em escolher a corrida como exercício, como o fato de ser um esporte individual e não requerer nenhum superequipamento, roupa própria ou espaço específico para a prática. Com um par de tênis, bermuda e camiseta, e podendo usar as ruas do bairro, uma pista pública ou um parque próximo, qualquer um está pronto. Considerando que o mais importante no início do processo de adotar um novo hábito é sair do ponto zero, quanto menos empecilhos houver pela frente, melhor. Ninguém precisa do modelo de tênis mais caro, do relógio com mais funções ou de uma pista profissional para dar o primeiro passo na corrida. É diferente do ciclismo ou da natação, que você até pode fazer sozinho, mas precisa investir em uma bicicleta ou se deslocar até uma piscina ou praia. Na corrida, você começa usando os recursos que já tem e vai se adaptando conforme os progressos acontecem.

O melhor momento para começar a investir em qualidade de vida é agora, não tem por que deixar para depois. Mas existe uma tendência a procrastinar a mudança. Noto isso quando quero saber de alguém que precisa perder peso quando começará uma reeducação alimentar. Quase sempre ouço "No mês que vem", ou "Depois de tal evento". Alguns perguntam se podem antes fazer uma despedida. Nunca é hoje ou agora. Ao adiar o cuidado com seu bem-estar, você está só empurrando para o futuro uma questão que terá que enfrentar de qualquer maneira porque não vai se resolver sozinha.

Nem fodendo!

NIZAN GUANAES

*Com essa frase bem elegante eu reagi mentalmente ao conselho desaforado do doutor Arthur Guerra de que eu fizesse triatlo. Eu nunca tinha feito triatlo. "Você deve estar de **sacanagem**, né?", eu falava comigo mesmo, como que simulando o que diria a ele. "Você já me convenceu a treinar, a fazer a prova de 5 e 10 quilômetros. Foi chato, foi duro, um saco, mas eu fiz. Agora, triatlo e maratona, que porra é essa, Arthur? Nem a pau, Juvenal!"*

Arthur fala, com toda a razão, que eu sempre respondo às ideias malucas dele dizendo não. Depois, como eu confio no taco do cara, acabo indo atrás das paradas brabas que ele me propõe. O sobrenome do Guerra é perfeito para ele. O caminho para a paz é a guerra contra si mesmo.

Puta que pariu! *Como fui entrar nessa fria em que ele me botou? Arthur me fez vestir uma roupa de neoprene ridícula na raia da USP, em São Paulo, numa manhã fria. Agora, um monte de nadadores mais jovens, mais treinados e mais velozes acabaram de passar por cima de mim.* **Socorrooooo!** *Esse cara está de* *brincadeira. Saí da água e fui para a bicicleta, coloquei a sapatilha, vesti um short justo e lá vou eu pedalar 20 quilômetros. Eu vou matar Arthur quando eu chegar ao final. Isso se eu chegar ao final, se o final não for o meu fim. E no final, depois de nadar e pedalar, eu tinha que correr. Vou pegar aquele filho da mãe, torcer o pescoço dele e nunca mais olhar para a cara dele. Só que, no final, não aconteceu nada disso porque o mala do Arthur Guerra, em pessoa, me esperava na chegada do triatlo com a cara mais feliz do mundo. Eu estava feliz, mas ele estava mais feliz do que eu.*

Devo ter sido um dos últimos no triatlo. Eu nunca vou vencer a prova. Eu não venço nunca, eu não venço ninguém, eu só venço o Nizan. Todo mundo pode fazer um triatlo ou uma maratona, só que a maioria das pessoas não consegue fazer os treinos. Esse é o grande desafio. Como encaixar os treinos e o esporte na sua rotina? E o esporte, meu amigo, é o melhor dos remédios para a vida. Para focar, acalmar, decidir bem, dormir bem e para tudo o mais.

Eu não tô com saco hoje. *Você acha que as pessoas estão sempre com saco para treinar? Óbvio que não. A vitória é você ter saco quando não tem saco para treinar. É correr quando está frio, quando está escuro. É nadar quando dormiu tarde na noite anterior. É pedalar quando você odeia pedalar.*

No quilômetro 35 da maratona de Nova York eu e boa parte dos 50 mil participantes queremos chorar, sentar no meio-fio, desistir ou pegar um táxi. Todo o corpo dói, dá câimbra, as virilhas estão assadas, os mamilos ardem depois de cinco ou seis horas roçando na camiseta. Aí, quando você está chegando ao Central Park, tem uma ladeira que não acaba nunca. Depois que você entra no parque faltam poucos quilômetros e uma vida inteira para terminar a prova. Você sai do Central Park e engata um trajeto inclinado, mas aí já dá para ver a linha de chegada. **Caralho!** *Eu fiz isso! Eu não sou um merda, não.* **Eu sou foda!** *Nossa, agora estou vendo lá longe a Donata e o meu filho me admirando.* **Eu sou foda.** *Sou um dos últimos a chegar, já está escuro. Daqui a pouco vão desmontar o palco. Meu tempo é um tempo de merda, mas eu não sou um merda. Eu tenho uma medalha no peito, eu tenho uma vitória na minha história. Agora eu sou maratonista. Minha mulher me admira, meu filho me admira e* **eles me acham foda.** *E, para falar a verdade, eu quero dedicar a medalha àquele careca maluco, filho da mãe, o Arthur Guerra, que me levou a fazer tudo isso. E peço desculpas a você, leitor, e a ele pelo monte de palavrões que eu usei para chamar a sua atenção e convencer você de que o caminho do esporte é* **foda,** *mas quem faz esporte vira um cara muito* **foda** *na vida.*

CAPÍTULO 5

Como as emoções influenciam a alimentação (e vice-versa)

ARTHUR GUERRA

Alguns pacientes acham estranho quando, no início de um tratamento, peço que subam na balança todos os dias pela manhã, de preferência sem roupa, fotografem o peso que aparece no visor e me mandem por mensagem em seguida. Se sentir que há espaço para bom humor e alguma informalidade, aproveito para dizer que, por favor, enviem apenas os quilos que a balança mostra, pois prefiro não ver partes íntimas. Uns teimam e não mandam nada, outros esquecem porque não dão a devida importância. Nizan já me achou radical por cobrá-lo quando não recebi sua mensagem com o peso do dia. Hoje ele está tão convencido de que há um porquê na minha solicitação que leva uma balança portátil nas viagens. Com o tempo, todos acabam entendendo que faço isso porque não podemos ignorar a ligação estreita que existe entre peso corporal e estado emocional.

No mundo de intranquilidade em que vivemos, usar a comida como válvula de escape para sentimentos e situações difíceis de lidar é uma estratégia que todo mundo usa de vez em quando, justamente pelo conforto rápido que traz. Comer para aliviar tristeza, cansaço, ansiedade ou tédio, não para saciar a fome ou desfrutar um momento agradável. É o que chamamos de comer emocional ou fome emocional. O problema é que quase ninguém pensa em buscar alimentos saudáveis quando está triste ou ansioso. Quem escolhe uma fruta ou um prato de salada na hora da angústia? Vamos direto em doces, salgadinhos e comidas prontas, que rapidamente trazem a sensação de recompensa e mais energia. Também não é um comportamento que combina com moderação. Quando comemos para esquecer algo ruim, a tendência é exagerar na quantidade e engolir o alimento de maneira impulsiva e desatenta.

Na tentativa de amenizar desconfortos emocionais e se sentirem menos solitários, muitos recorrem ao álcool, quase sempre de modo exagerado, como se a bebida suprisse a falta de alguém para conversar. Não precisamos ir longe para entender a associação equivocada que se faz entre comida e bebida com alívio emocional. Desde cedo, nos acostumamos com a ideia de que um chocolate reconforta quando estamos para baixo. Ou que "merecemos" um drinque ao chegar em casa exaustos ou chateados depois de um dia cheio. Não sou contra esse drinque. Sou contra utilizá-lo como se fosse um anestésico.

Quando se torna recorrente, esse comportamento de buscar recompensa na comida pode trazer grande sofrimento e prejuízo à saúde de pessoas de todas as idades. Primeiro porque, como falei, os alimentos que atacamos são pobres em nutrientes e altamente calóricos. Além disso, emoções incômodas não desaparecem depois que comemos ou bebemos para esquecê-las. Pode-se até sentir um bem-estar momentâneo, mas logo o mal-estar retorna, fazendo a pessoa voltar a buscar refúgio no lugar errado. Com isso, acaba engordando, e junto vêm culpa, frustração e arrependimento por ter perdido o controle. Isso se soma à autoestima já abalada e ao sofrimento existente e... adivinhe? Leva a mais comer descontrolado. Percebe o ciclo negativo?

Vários estudos mostram que pessoas com sobrepeso e obesidade têm risco significativamente maior de apresentar depressão e ansiedade do que quem tem um peso considerado adequado. Essa associação se deve a fatores físicos e psicossociais. O acúmulo excessivo de gordura no corpo, que caracteriza a obesidade, leva a um desequilíbrio geral do organismo e predispõe ao aparecimento de doenças cardiovasculares (como diabetes e hipertensão), apneia do sono, problemas no fígado e dor crônica nas articulações e nas costas. Essas comorbidades pioram muito a qualidade de vida e a saúde mental porque impõem limitações de mobilidade, de realização de atividades, de alimentação e até socialização.

Há, ainda, a questão da insatisfação com a autoimagem corporal e a perda de autoestima. Nossa sociedade discrimina pessoas obesas e relaciona magreza com beleza e saúde, o que nem sempre é uma conexão válida. A obesidade é uma doença crônica multifatorial, e o ganho de peso nem sempre está ligado a indisciplina e escolhas pessoais, pois também pode envolver componentes genéticos, biológicos e metabólicos. Crianças e adolescentes, em especial, ficam mais vulneráveis a ansiedade e depressão ao se tornarem vítimas de *bullying* por causa do peso e da aparência física.

Quando há ganho ou perda acentuada de peso, ainda mais em um intervalo pequeno de tempo, é provável que haja fatores emocionais. Precisamos descobrir o que está acontecendo para tratar de modo adequado. É por isso que acho importante monitorar diariamente o peso dos pacientes. Uma mulher que ganhou muito peso durante a pandemia contou que começava a comer ao ver o noticiário na televisão e não parava mais. Eu quis saber em que momento do dia isso geralmente ocorria. Pela manhã, na hora do almoço, à tarde e à noite, ela me disse. Sim, essa paciente assistia às quatro edições todos os dias. Não há equilíbrio emocional possível alimentando-se de tantas notícias ruins. Para resolver a compulsão, ela precisava não de uma dieta alimentar, mas de uma reeducação do comportamento para uma "dieta" de notícias.

Se há estresse, ansiedade ou qualquer outra emoção envolvida no comer e no ganho de peso, seja como causa ou consequência, restringir a alimentação nem sempre é a saída mais eficiente, pelo menos não como primeira opção ou como medida isolada. É preciso antes identificar os possíveis gatilhos que levam a descontar na comida. Emagrecer será consequência.

Você está satisfeito com seu peso? E com suas emoções neste momento?

Na minha visão, o que determina se a alimentação de uma pessoa é ou não saudável está mais ligado à relação dela com a comida e à consciência de suas escolhas do que à presença de nutrientes específicos e às calorias ingeridas. Ficar preso a esses indicadores pode empobrecer a qualidade das refeições e criar uma relação conturbada com o ato de comer, acabando com o prazer que há nele. Sim, porque comer não é somente nutrir o corpo, mas também um dos maiores prazeres da vida – eu pelo menos não abro mão dele –, além de ter uma função social importante. Está ligado a afeto, celebração e felicidade, tanto que em várias culturas as famílias e os amigos se reúnem em volta da mesa para comemorar conquistas e ocasiões especiais.

Vivemos uma espécie de ditadura do emagrecimento e da boa forma, em parte estimulada pelo fenômeno das redes sociais, onde a imagem conta muito. Com as pessoas vivendo cada vez mais no mundo virtual como se fosse real, a autocobrança para se encaixar em padrões estéticos é motivo de enorme sofrimento principalmente para meninas e mulheres. Esse tipo de pressão sempre existiu, mas se intensificou com a internet. Muitas colocam a saúde em risco tomando remédios para emagrecer, seguindo dietas insalubres e impondo-se restrições (como pular refeições, limitar a quantidade diária de calorias e parar de consumir certos grupos de alimentos) com o fim de mudar o corpo. Tudo sem qualquer embasamento científico, necessidade real ou indicação profissional. É assim que nascem transtornos alimentares como anorexia e bulimia, que são doenças psiquiátricas.

Saúde mental da boca para dentro

Existem muitos padrões de alimentação considerados saudáveis. Eu me sinto bem seguindo o que chamamos de jejum intermitente, que, no meu caso, consiste em ficar até 16 horas sem comer e me alimentar normalmente nas oito horas restantes do dia. Na prática, janto por volta das 8 da noite e só volto a comer na hora do almoço seguinte, exceto pela eventual xícara de café pela manhã, antes de treinar. Faço isso alguns dias por semana.

Não estou recomendando a ninguém que copie meus hábitos. Eu me sinto bem seguindo esse modelo de dieta, mas isso não significa que funcione para todo mundo. Gosto também da sensação de estar no comando do meu corpo, de saber que sou eu que mando nele, não o contrário. No mais, tento me basear nos princípios da dieta mediterrânea, que prioriza o consumo de ingredientes frescos e naturais (frutas e vegetais, peixes, grãos, azeite e outras fontes de gorduras boas), além de queijos e carnes preparadas de maneiras saudáveis.

É praticamente consenso entre os especialistas que esse estilo de alimentação, inspirado nos costumes dos países da região do Mar Mediterrâneo, como Itália, França, Grécia e Espanha, é o melhor para quem deseja viver bem e por mais tempo. O segredo da dieta mediterrânea não está em um ou outro ingrediente ou nutriente, mas na diversidade e na combinação de vitaminas, minerais, aminoácidos e gorduras saudáveis. Com propriedades antioxidantes e anti-inflamatórias, ela ajudaria a "limpar" o organismo e evitar doenças, inclusive mentais. Também influencia a produção de hormônios e neurotransmissores, como serotonina e dopamina.

Há décadas os cientistas conhecem os benefícios de uma nutrição adequada na prevenção e no controle de doenças cardiovasculares, digestivas, renais e endócrinas. De alguns anos para cá esses estudos se estenderam à psiquiatria e vêm ganhando cada vez mais atenção: como aquilo que comemos influencia o modo como nos sentimos e nos comportamos. As descobertas sugerem que uma dieta mediterrânea traz nutrientes fundamentais para a manutenção de funções cognitivas, como memória e concentração, e dos níveis de energia do corpo, que afetam o funcionamento do cérebro e o bem-estar mental.

Assim como uma dieta à base de alimentos saudáveis pode ter efeito terapêutico sobre a saúde mental, a ausência deles pode piorar sintomas como desânimo, estresse e até depressão. Quando açúcar, carboidratos, comidas gordurosas, processadas e ultraprocessadas se tornam a base da alimentação, sobretudo em associação com outros hábitos nocivos, como sedentarismo, tabagismo, estresse e álcool em excesso, o corpo entra em um estado de inflamação crônica que afeta todo o organismo, até o cérebro. Isso favorece o surgimento de doenças físicas e mentais. Alimentos ultraprocessados são aqueles desenvolvidos para facilitar a vida de quem não quer "perder tempo" cozinhando. Eles contêm zero ingredientes naturais e muitos artificiais, como corantes e conservantes. Carnes embutidas e pratos congelados industrializados, como lasanha, pizza e hambúrguer, estão nesse grupo e devem ser evitados. Acredito que moderação no consumo desses alimentos é sempre a melhor saída.

Melhorar a dieta, por si só, não vai curar depressão ou qualquer transtorno mental, até porque existem outros fatores envolvidos, inclusive genéticos. Também não é suficiente para dispensar o tratamento psicológico ou psiquiátrico quando existe um quadro mais complexo de saúde mental. Mas comer bem é um ato de autocuidado que comprovadamente melhora a sensação de bem-estar geral.

Outro caminho para entender por que o que comemos influencia nosso humor e nossas emoções – esse, já estabelecido – passa pela conexão que existe entre o intestino e o cérebro. O intestino comporta uma rede de neurônios responsável por comandar boa parte da produção de serotonina e dopamina do corpo – daí o órgão ter ganhado o apelido de "segundo cérebro". No entanto, a liberação dos neurotransmissores depende de condições favoráveis, ou seja, de uma microbiota saudável. Dietas ricas em alimentos inflamatórios desequilibram o ecossistema de bactérias intestinais e prejudicam a produção das substâncias que regulam nosso bem-estar. O uso frequente de medicamentos, inclusive antidepressivos, antibióticos e anti-inflamatórios, também interfere.

Quanto mais variada e rica em ingredientes frescos e naturais for a alimentação, melhor para o intestino e para a saúde mental. Hoje, quem pratica esportes e se preocupa com a saúde de maneira geral está atento ao que chamamos de dieta *plant based*, baseada em plantas. Isso não significa ser vegetariano ou vegano, que é quando se deixa de comer carne e outros derivados de animais, mas priorizar legumes, verduras, frutas, leguminosas (como feijão, lentilha e grão-de-bico), além de grãos, sementes e castanhas.

A nutrição e o álcool para quem pratica esportes

Comer é um prazer indispensável para mim, como eu disse, e no meu cardápio há espaço para tudo, sem restrições, mas com consciência e moderação. No fim das contas, acredito que é isso que constitui uma alimentação saudável. Sou casado com uma chef de cozinha italiana que prepara massas e outros pratos gostosos todos os dias. Tenho por hábito não beber durante a semana, mas, de vez em quando, um jantar ou um almoço no fim de semana com pasta italiana pede uma taça de vinho para acompanhar, e talvez você concorde comigo. Só não posso abusar, pois essa é uma combinação que leva a ganho de peso se consumida com frequência. Se acontecer, ao menos posso contar com o treino para compensar os excessos.

Passei a me alimentar muito melhor desde que virei corredor, de uma forma natural, sem grande esforço, sacrifício ou mau humor. Quando quis emagrecer, anos atrás, comecei uma dieta, mas não tive sucesso: não perdi praticamente nada de peso em semanas. Foi só quando passei a me exercitar que desenvolvi disciplina em relação à alimentação e aprendi a trocar hábitos ruins por outros mais saudáveis. Ter uma rotina ativa nos ajuda a conhecer melhor o nosso corpo. Aprendemos a escutá-lo e a entender melhor nossa fome, e também percebemos quais alimentos nos caem bem e quais nem tanto. Com esse autoconhecimento, conseguimos controlar a alimentação sem sofrer.

Fazer atividade física contribui para melhorar nossa relação com a comida e o corpo por vários motivos. Primeiro, porque ajuda a controlar o estresse e a ansiedade que levam muita gente a consumir alimentos calóricos e pouco saudáveis. Além disso, como favorecem o emagrecimento e a manutenção do peso quando praticados com regularidade, os exercícios influenciam positivamente a percepção de nossa autoimagem corporal e, portanto, nossa autoestima. A insatisfação com a aparência é uma das principais razões por que as pessoas decidem começar alguma atividade física. Também há a inspiração do grupo. Quando você participa de uma equipe ou treina com uma turma de amigos que cultivam bons hábitos, é natural que compartilhem momentos e informações sobre alimentação e vida saudável, o que acaba exercendo uma influência benéfica no seu comportamento. Por fim, a escolha do que comemos e bebemos impacta diretamente a disposição para treinar, a recuperação muscular e o desempenho esportivo. Esse foi o grande estímulo que me levou a trocar uma alimentação desregrada, como era a minha, por mais consciência na hora de comer.

Álcool não combina com esporte

Para quem treina pensando em voar na corrida, perder peso ou manter a forma, exagerar na bebida ou consumi-la perto dos momentos de se exercitar é uma péssima ideia. O álcool é muito calórico, independentemente de a bebida ser fermentada (cerveja, vinho, espumante, saquê) ou destilada (uísque, cachaça, vodca, tequila, gim, rum). Uma lata de cerveja tem o equivalente em calorias a uma unidade de pão francês ou um pedaço de 30 gramas de chocolate. Isso é bastante, principalmente quando se considera que muitos não param na primeira latinha.

Como regra geral, atividade física e esporte não combinam com bebida alcoólica em excesso, ainda que sejam frequentemente associados. Estamos acostumados a ver grandes fabricantes de cerveja patrocinando campeonatos de futebol e outras modalidades, pilotos comemorando com champanhe a subida no pódio da Fórmula 1 e amigos se reunindo para assistir a partidas de seus esportes favoritos em encontros regados a álcool. Essa relação entre esportes e bebida é antiga e não há nada de mau no consumo moderado. Excessos é que são inaceitáveis.

Na corrida não é diferente. Já participei de várias provas, no Brasil e no exterior, que recepcionam com uma cerveja gelada os atletas que cruzam a linha de chegada. Sim, além de água ou bebida isotônica, própria para repor os líquidos e sais minerais perdidos ao transpirar bastante, cerveja para quem quiser. Também já presenciei colegas corredores tomando uma cervejinha "merecida" depois de treinos em dias de calor. Entendo a finalidade social e de celebração dessas práticas e não vou dizer que são, por si sós, um problema. Mas é importante não exagerar na quantidade nem negligenciar a hidratação e a alimentação adequadas no pós-exercício, o que pode prejudicar a recuperação do corpo.

Não existe consenso científico quanto ao potencial de hidratação de bebidas alcoólicas. Alguns trabalhos mostram que o da cerveja, por exemplo, seria semelhante ao de algumas bebidas não alcoólicas. De qualquer modo, vale saber que o álcool inibe o hormônio antidiurético, reduzindo a reabsorção de água pelos rins e aumentando a eliminação pela urina. O fato de irem ao banheiro várias vezes enquanto estão bebendo pode levar as pessoas à conclusão equivocada de que cerveja hidrata o corpo. Na verdade, ela pode desidratar, e essa é uma das causas da ressaca.

Talvez você já tenha ouvido falar que a prática de exercícios atenua ou compensa os efeitos negativos do álcool no organismo. Sabemos que pessoas fisicamente ativas têm maior capacidade de metabolizar a substância e sofrem menos com seus efeitos oxidantes. Mas isso não vale para quando o consumo ocorre antes ou durante algum exercício. Nesses casos, na verdade, os prejuízos são muitos. Em primeiro lugar, porque compromete o uso de glicose e aminoácidos pelos músculos, afetando diretamente o fornecimento de energia para realizar o exercício. O álcool também interfere no mecanismo de regulação da temperatura corporal. No calor, isso pode significar um risco maior de desidratação; no frio, diminuição do rendimento físico e maior risco de lesão.

A ingestão de álcool altera todo o processamento de informações pelo cérebro. O efeito relaxante que tantos buscam nas bebidas torna-se um perigo para quem faz esporte porque interfere na capacidade de concentração e em funções psicomotoras, como equilíbrio, coordenação, precisão de movimentos, tempo de reação e tomada de decisões rápidas, essenciais, em maior ou menor grau, para diversas modalidades. Com isso, o desempenho cai e o perigo de se contundir aumenta.

Outro aspecto pouco discutido é a interação entre o álcool e medicamentos bastante usados por corredores e outros atletas depois de provas ou treinos exaustivos, como analgésicos, anti-inflamatórios e relaxantes musculares. Esses remédios podem trazer efeitos tóxicos ao fígado que, quando combinados com álcool, tornam-se ainda mais perigosos.

Você tem fome ou está comendo suas emoções?

NIZAN GUANAES

Eu acabo de virar avô. Avô de Maria Thereza e Humberto. Avós têm um tempo que os pais não têm. Então estou vendo agora, como avô, coisas que o pai muito atarefado que fui não viu. Estou vendo como um bebê reage à troca do leite e como a criança sente cólica quando a mãe abusa do chocolate enquanto amamenta. Como o humor da criança pode melhorar ou piorar com a alimentação e como ela chora loucamente quando está com fome. É engraçado como isso é tão óbvio de se ver em um bebê, mas os adultos esquecem os efeitos da alimentação sobre as emoções. O intestino é o segundo cérebro. Eu li certa vez que, com 9 metros de comprimento e 500 milhões de células nervosas, o intestino não é somente um órgão de digestão: é uma parte pensante do corpo.

De onde você acha que vem a palavra "enfezada" ou expressões como "frio na barriga" e "não tenho estômago para isso"? A alimentação rege a gente, mexe com nosso humor quando está certa ou errada. Uma pessoa que se entope de comida pesada no almoço não vai ficar muito disposta a trabalhar depois.

Viajando pelo mundo é fácil ver que os povos são a cara do que comem. A comida japonesa reflete o comportamento do japonês, assim como a comida baiana é a cara do baiano. O Nizan de quase 150 quilos era um vendaval de emoções. Uma pessoa mercurial, explosiva. Com pouco autocontrole no garfo e na vida.

Muito da vida de qualquer esportista ou de qualquer pessoa saudável é uma relação estratégica com o que se come. Na pandemia, eu, que não gosto de chocolate, desandei a comer Oreo. No final de 2021, já na reta final do segundo e interminável ano de pandemia, cheguei a devorar nove donuts em uma tarde. Isso não é fome, é emoção.

Quando Arthur Guerra me pediu que mandasse a foto do meu peso toda manhã, pensei: "Esse cara é doidão." Mas depois você percebe que ele acompanha o seu humor pela balança. As mulheres, por exemplo, sabem bem a relação que há entre menstruação, tristeza, ansiedade e frustração e o consumo de chocolate.

As Blue Zones (Zonas Azuis) – Icária, na Grécia, Okinawa, no Japão, Ogliastra, na Itália, Loma Linda, nos Estados Unidos, e Nicoya, na Costa Rica – são regiões do mundo onde as pessoas são centenárias, felizes, ativas e gregárias. Nesses lugares, os moradores seguem a regra dos 80%: não comem até ficar empanturrados, param antes. Todas as cinco Blue Zones têm em comum a alimentação baseada em vegetais, com pouca carne e sem leite de vaca, coisas que eu amo. Dê um Google na alimentação das Blue Zones e você vai ver a relação profunda que existe entre a felicidade, a longevidade e a boa alimentação.

O Nizan comilão não se alimentava, ele comia. Não saboreava, engolia. Mastigar bem a comida, para uma pessoa ansiosa como eu, ainda é um desafio a vencer. Porque a boa mastigação também ajuda a comer menos e a aproveitar o que há de melhor nos alimentos.

Espero que você entenda que esta conversa sobre alimentação não é somente sobre peso, mas sobre como ela afeta, para o bem e para o mal, nossos sentimentos e nossa disposição para a vida. Quem treina muito, como eu, não produz se não se alimentar direito ao longo da manhã ou da tarde. Se exagerar na alimentação à noite, não dorme. Se dormir com fome, provavelmente vai acordar durante a noite e, com isso, prejudicar o sono. Se tomar em excesso esse remédio chamado água, vai levantar várias vezes durante a noite e dormir mal.

Isso explica a obsessão de Arthur Guerra com o assunto alimentação. Ele já chegou a definir uma dieta para mim desenhando-a num pedaço de papel, não como nutricionista, mas baseado no senso comum de sua vasta experiência como atleta. E ele se importa tanto com o assunto alimentação que tem uma médica nutróloga dedicada a isso em sua extraordinária equipe de psiquiatria.

No corpo e no garfo estão boa parte dos remédios de que você e sua alma precisam para serem felizes e poderem correr atrás da felicidade. No prato também estão alguns dos venenos que nos matam. Portanto, cuide do bebê que existe em você se alimentando bem. Você cresceu, mas, igualzinho àquele bebê que um dia foi, seu corpo, sua cabeça e seu humor reagem à sua alimentação.

Olhando os meus netos, compreendi o que Arthur Guerra vive falando. Muito obrigado, Maria Thereza e Humbertinho. Antes de vocês aprenderem a falar, já estão me ensinando como me alimentar para saborear mais a vida e viver mais tempo para ver vocês crescerem.

CAPÍTULO 6

Sono: sinal de alerta da saúde mental

ARTHUR GUERRA

Certa vez perguntei a um paciente que se queixava de problemas nos negócios e da vida, que, segundo ele, andava bagunçada, o que ele entendia por sucesso. A resposta me surpreendeu: deitar na cama e conseguir dormir uma noite inteira. Eu não tinha pensado dessa forma até então, mas achei uma boa definição. Neste mundo ansioso e acelerado, ter noites de sono reparador é mesmo um desafio que para muitos requer esforço. Não é luxo nem perda de tempo, como pensam aqueles que negligenciam a importância do repouso noturno para a saúde, mas sinal de uma vida equilibrada.

No Brasil, quase 70% da população declara enfrentar algum tipo de dificuldade para pegar no sono e mantê-lo, de acordo com dados da Associação Brasileira do Sono (ABS). O índice fica bem acima da média mundial (45%) e nos coloca entre os países que menos dormem no mundo. Não é coincidência sermos campeões também em ocorrências de transtornos mentais, conforme comentei antes, pois as duas coisas são inseparáveis: quem convive com problemas de saúde mental está mais propenso a dormir pouco ou mal, e a privação de sono afeta diretamente nosso estado psicológico e nosso bem-estar.

Em primeiro lugar, boas noites de sono dependem de calma e tranquilidade. No dia a dia de alguém que vive ansioso, com a cabeça a mil, acumulando angústias, conflitos e sobrecarga de trabalho, fica difícil relaxar. Na depressão, principalmente em casos graves, o indivíduo não tem vontade de sair da cama e chega a dormir muitas horas seguidas, mais do que o necessário ou recomendado. Ou, ao contrário, não consegue repousar porque a mente não desliga os pensamentos negativos. Nessas situações, muitos abusam do álcool e fazem uso inadequado de remédios para induzir o sono. Falaremos sobre isso adiante.

Quem dorme mal vive mal. Por isso é que esse é um dos principais parâmetros que utilizo para avaliar a saúde mental dos pacientes. Assim como quero saber se fazem atividade física e se alimentam bem, pergunto a que horas vão para cama e levantam de manhã, se acordam animados ou cansados, se dormem a noite inteira ou despertam uma ou mais vezes de madrugada. Costumo fazer a seguinte comparação: se nossa mente fosse um automóvel, os distúrbios do sono seriam aquelas luzinhas no painel, que acendem para alertar que alguma parte do veículo precisa de manutenção.

A vida moderna não colabora com nosso descanso. Estamos cercados de telas (celular, computador, tablet, televisão) por todos os lados, o que incentiva a postergar a hora de deitar, mesmo tendo que levantar cedo no dia seguinte, e dificulta pegar no sono. Com os novos formatos de trabalho, que permitem atuar de qualquer lugar, às vezes tendo que se adaptar a fusos horários diferentes, muitos acabam sacrificando o sono. O acesso a praticamente todo tipo de serviço 24 horas por dia desregula o sono de quem consome tais serviços e de quem trabalha nos turnos da noite. A exposição a luz artificial e ruído o tempo todo também interfere. E não dá para ignorar o efeito da pandemia e da sequência de crises no nosso país nos últimos anos, que trouxeram estresse, preocupação e mudanças na rotina e levaram embora o sono de muita gente.

Dormir poucas horas, "fritar" na cama, virando de um lado para outro sem conseguir adormecer, despertar várias vezes durante a noite, acordar de madrugada e não pregar mais os olhos, ter pesadelos frequentes, ranger ou apertar os dentes são sinais de que o sono está prejudicado. E o mal-estar persiste na manhã seguinte: a pessoa já acorda sentindo-se cansada, passa o dia inteiro sonolenta, mal-humorada e com dificuldade para raciocinar e se concentrar naquilo que tem que fazer. Como nem todo mundo associa de imediato a noite maldormida à falta de energia e disposição, muitos acabam recorrendo a estratégias para atravessar o dia – cochilar para compensar as horas em claro, tomar xícaras e xícaras de café, usar drogas estimulantes – sem saber que podem estar agravando o problema.

É normal ter noites difíceis de vez em quando. Pode acontecer com qualquer um que esteja em uma fase de trabalho intenso, com problemas para resolver ou passando por mudanças na vida. Se o incômodo dura somente alguns dias, não é considerado um distúrbio, mas um sintoma – e pode ser classificado como insônia aguda. Ir para cama de madrugada uma vez ou outra, porque você foi a uma festa, ficou assistindo a um filme ou precisou trabalhar ou estudar até mais tarde, também não trará grande prejuízo à rotina de sono de ninguém.

Mesmo situações que geram uma ansiedade positiva podem tirar o sono. Vejo isso quando participo de competições de triatlo: as provas costumam acontecer no domingo cedinho e podem durar muitas horas. No sábado à noite é comum os atletas ficarem ansiosos pensando em como será o percurso e se os equipamentos estão em ordem, e por isso custam a dormir. Passado o evento, tudo volta ao normal. Quando a pessoa passa pelo menos três noites em claro por semana, durante três meses ou mais, consideramos que se instalou uma insônia crônica. Então é preciso procurar ajuda médica.

Os especialistas em medicina do sono defendem que o ideal é dormir de sete a nove horas por noite para repousar de verdade e manter o organismo funcionando como deve. Crianças e adolescentes precisam de um pouco mais do que isso (oito a 11 horas), e idosos, de ligeiramente menos (sete a oito horas). Essa necessidade é bem individual. Eu, por exemplo, durante muito tempo fui o que se chama de *short sleeper*, alguém que naturalmente necessita de poucas horas de sono sem que isso prejudique o seu rendimento no cotidiano. Vivi bem durante muitos anos dormindo quatro ou cinco horas por noite e mesmo assim acordava animado, energizado para treinar e trabalhar, e permanecia assim até o fim do dia. Até que a pandemia chegou, minha rotina mudou e meu padrão de sono também – logo falo sobre isso. Hoje, tanto para mim quanto para a medicina, quatro horas de descanso são insuficientes. Se eu dormir só isso à noite sei que não vou render bem no dia seguinte e posso me sentir irritado em algum momento da manhã ou da tarde, além de acordar com a aparência cansada. Há também os *long sleepers*, que relatam precisar de até dez horas de repouso para se sentirem bem.

Cada pessoa tem uma espécie de relógio interno próprio, que determina o ritmo do corpo e o momento, dentro do ciclo de 24 horas do dia, em que tende a funcionar melhor física e cognitivamente. Sou do tipo matutino: gosto de levantar cedo, e a manhã é o período em que me sinto mais bem-disposto e alerta. É quando minha cabeça trabalha melhor, pois ainda não está intoxicada pelo cansaço e pela enxurrada de informações que vou receber no decorrer do dia. É também o horário em que prefiro praticar esporte – acordo antes das 5 da manhã sem reclamar. Só consigo manter esse ritmo indo para cama cedo. Meus amigos e familiares já sabem que não adianta me telefonar ou mandar mensagem após determinada hora da noite porque provavelmente não vou responder. Se estou em casa, quando chega meu horário de deitar simplesmente peço licença e dou boa-noite. Não me atrapalha em nada se minha mulher estiver vendo televisão com a luz acesa, se houver gente conversando na sala ou se o vizinho estiver dando uma festa com música alta. É mais ou menos como se existisse uma chavinha no meu cérebro que desliga quando chega a hora de dormir. Não se trata de mágica ou sorte, mas de acostumar meu corpo a funcionar dessa maneira porque é como me sinto melhor.

Conheço pessoas vespertinas, ou seja, que preferem dormir e acordar mais tarde. Quando começa a noite estão no auge da animação, e a madrugada é o momento em que se sentem mais produtivas e despertas: conseguem trabalhar a mil. Mas não tente puxar conversa às 8 da manhã porque estarão quietas e mal-humoradas. Ao meio-dia é quando começam a acordar. Levantar e ir para cama tarde não traz, em si, prejuízo para o sono ou a saúde. O problema é que muitos contrariam o próprio ritmo em nome de trabalhar, estudar e acompanhar a vida em sociedade, e com isso dormem menos do que gostariam ou precisariam.

Atendi um jovem arquiteto que se viu em um dilema quando foi contratado para lecionar no período matutino em uma universidade. Até então ele trabalhava em casa, no silêncio da madrugada: estava habituado a ir para cama por volta das 4 da manhã e acordar ao meio-dia, e funcionava muito bem assim. Quando passou a dar aulas às 8 horas da manhã, ficou inicialmente perdido, então me pediu ajuda para reeducar o sono sem tomar remédios. O ritmo do rapaz também prejudicava seu relacionamento amoroso, pois a namorada não conseguia ficar acordada junto dele. Nas primeiras semanas de aula ele sofreu por ficar sem dormir, emendando a madrugada de trabalho com a ida à faculdade para não correr o risco de perder a hora. Aos poucos, foi modificando seus hábitos e se acostumando a deitar mais cedo. Começar a se exercitar à noite foi fundamental: ele voltava para casa cansado, jantava e logo ia para cama, conseguindo adormecer sem dificuldade e acordar cedo. É importante conhecer e respeitar os ritmos do nosso corpo para que o sono – ou sua privação – não atrapalhe a rotina e a qualidade de vida.

Sono polifásico x sono fragmentado

Antes do período de isolamento pela pandemia, quando eu praticava esportes bem cedo, costumava me deitar por volta da meia-noite e acordava antes das 5 da manhã muito bem-disposto. Com tudo fechado e os treinos suspensos, meu sono mudou: passei a dormir por seis, sete e até oito horas. Não alterei meu horário de ir para cama à noite nem comecei a levantar muito mais tarde, mas passei a dormir em duas etapas. Continuei despertando às 4 e pouco, como meu corpo estava habituado: levantava, lia os jornais por mais ou menos uma hora, voltava para a cama e dormia gostoso até umas 7 horas, ou seja, cerca de duas horas a mais que antes. Ainda faço isso alguns dias na semana. Esse padrão de distribuir o descanso em períodos menores em vez de dormir tudo de uma vez recebe o nome de sono segmentado ou polifásico. É diferente do sono fragmentado ou entrecortado, este, sim, associado a uma péssima saúde emocional, com risco maior de desenvolver ansiedade e depressão.

Descobri que era assim que quase todos descansavam na era pré-industrial, antes que a luz artificial nas cidades (lampiões, lamparinas e, mais tarde, luz elétrica) e a invenção do horário de trabalho modificassem os hábitos de sono das pessoas, levando-as a ir para cama mais tarde, acordar cada vez mais cedo e dormir "em uma tacada só", a noite inteira. Antes disso, o mais comum era deitar com o pôr do sol, levantar por volta da meia-noite para comer, conversar e fazer sexo, e voltar a dormir até o amanhecer.

Esse padrão de sono racionado deu certo para mim, mas

não é possível generalizar. A medicina não recomenda, argumentando que o melhor mesmo é dormir de sete a nove horas seguidas porque só assim se completam os ciclos de sono que mantêm o organismo em pleno funcionamento. Mas talvez segmentar dê certo para quem desperta no meio da madrugada e fica ansioso porque demora para fechar os olhos de novo, uma queixa recorrente.

Por que você precisa descansar

Dormir é uma necessidade fisiológica do organismo, assim como respirar, comer e ir ao banheiro. Durante uma noite ideal ocorrem quatro estágios de sono. Em cada um acontecem ajustes importantes para que o corpo funcione adequadamente, como a consolidação da memória e do aprendizado, a reparação de células, o reforço do sistema imunológico e a liberação de hormônios. Emendar noites em claro ou acordando de madrugada interfere no ciclo natural do sono e interrompe processos em andamento, com reflexos na saúde.

Uma das substâncias produzidas durante o sono é o hormônio do crescimento (GH, de *growth hormone*), essencial para a regeneração e o ganho muscular, o vigor físico e para evitar o acúmulo de gordura corporal. Dormir bem faz parte do treinamento de quem pratica esportes com frequência, principalmente se forem de resistência.

Outro hormônio produzido durante o repouso é a leptina, que controla a fome e a sensação de saciedade e ajuda a regular o gasto energético. Dormir pouco ou mal não somente leva à redução dos níveis de leptina e a comer mais como induz a fazer escolhas ruins, normalmente carboidratos e alimentos calóricos – quem ataca a geladeira ao despertar de madrugada raramente busca comidas saudáveis.

O sono noturno também inibe a liberação de cortisol, o hormônio do estresse, que volta a ser secretado nas primeiras horas do dia para nos colocar em alerta. O cortisol influencia as taxas de açúcar no sangue, e mantê-lo em níveis elevados – o que pode ocorrer quando dormimos pouco ou mal – predispõe a diabetes, hipertensão e obesidade.

Sabemos também que o cérebro possui uma espécie de sistema de autolimpeza que é ativado durante o repouso. Esse sistema ajuda a eliminar toxinas que, quando acumuladas, afetam nossa capacidade cognitiva (habilidades como raciocínio, memória e atenção) e nosso humor. Por isso ficamos irritados e propensos a reagir mal a situações e acontecimentos quando somos privados de sono. Sem respeitar essa pausa para a manutenção da mente depois de um dia inteiro trabalhando, perdemos produtividade e corremos maior risco de acidentes, principalmente em atividades que dependem de atenção e reflexo, como dirigir e operar máquinas.

Dormir bem é uma questão de hábito

Problemas com o sono não aparecem do nada. Na maior parte das vezes são como a ponta do iceberg, sintomas de algo mais grave que precisa ser tratado. Com frequência aparecem depois de eventos ou circunstâncias que trazem forte estresse emocional, como uma separação, problemas financeiros ou um período de luto. Entender o que está por trás da insônia, identificar quais condutas diurnas e noturnas estão impedindo noites bem-dormidas e criar uma rotina favorável ao descanso são a melhor saída para se livrar dos remédios e ganhar autonomia sobre o próprio sono. É um caminho de autoconhecimento e mudança de estilo de vida que deve se tornar prioridade de quem quer viver melhor.

De uns tempos para cá, surgiram muitas soluções tecnológicas para ajudar os que desejam melhorar o sono, de travesseiro com dispositivo que monitora o repouso a partir da movimentação do corpo à noite a aplicativos para celular e *wearables* (acessórios inteligentes, como relógios e pulseiras) que captam o ritmo da respiração, ruídos de ronco, fala e despertares noturnos. Eles não rastreiam a atividade cerebral nem têm a capacidade de mudar as características do sono, mas são ferramentas úteis para quem busca mais consciência de como está dormindo e, a partir daí, incorpora hábitos melhores.

Qualquer pessoa pode (e deve) adotar o que chamamos de higiene do sono: um conjunto de ações que funcionam como uma preparação para dormir bem. São atitudes que, sozinhas, provavelmente não vão curar distúrbios como insônia crônica ou apneia – nesses casos, é importante consultar um médico especialista –, mas melhoram bastante a qualidade do sono e, com isso, a saúde e o bem-estar geral.

Pais e mães devem estar atentos à rotina das crianças e dos adolescentes e tentar servir de modelo para que adotem hábitos positivos desde cedo. Se na casa da família não há horário fixo para nada, cada um vai para cama na hora que quer e ninguém controla o uso que os jovens fazem de celular e videogame depois que se fecham no quarto à noite, isso pode ser um incentivo para que entrem em um ritmo desregrado e tenham privação e distúrbios do sono, com prejuízo para o rendimento escolar e a saúde mental.

A seguir, as principais medidas para a higiene do sono que adoto e recomendo a meus pacientes.

Não ingerir álcool para facilitar o sono

Este talvez seja o exemplo mais comum do mau uso da bebida alcoólica: como se fosse um medicamento para dormir. Você conhece alguém que bebe com essa finalidade? Para a maioria das pessoas, uma dose, no máximo, talvez não faça mal e até funcione como um empurrãozinho para pegar no sono; afinal, o álcool tem ação depressora do sistema nervoso central, então relaxa e causa sonolência. É por isso que não se deve dirigir depois de consumi-lo, já que a atenção e os reflexos ficam prejudicados. Mas jamais se deve fazer uso de bebidas com o objetivo de adormecer ou dormir melhor, muito menos tomar várias doses para "chapar" e desabar na cama, como muita gente faz. Isso só vai resultar em um sono superficial e fragmentado, sem contar os efeitos no dia seguinte, como boca seca, enjoo, dor de cabeça.

O álcool ainda predispõe e agrava quadros de ronco (que não é indicativo de sono profundo e reparador) e de apneia obstrutiva do sono, doença que afeta um em cada três brasileiros. A apneia é a interrupção da respiração durante o repouso pela obstrução das vias aéreas superiores (nariz e garganta). Pode acontecer pela posição de dormir, por características anatômicas individuais e pelo relaxamento ou flacidez da musculatura da boca e da garganta, o que bloqueia a passagem do ar quando a pessoa está deitada. Álcool e remédios para dormir contribuem para relaxar a musculatura, podendo piorar a apneia. Ficar alguns segundos sem respirar várias vezes durante a noite traz muitos prejuízos à saúde: diminui o aporte de oxigênio para o coração e o cérebro, aumenta a pressão arterial e pulmonar, eleva o risco de sofrer infarto e acidente vascular cerebral (AVC ou derrame) e afeta funções cognitivas, como atenção e memória. Além disso, para compensar o bloqueio no fluxo de oxigênio e "reanimar" a pessoa, o organismo libera descargas de adrenalina que provocam pequenos despertares noturnos. Resultado: o sono fica picotado, e o dia seguinte, prejudicado.

Diminuir o uso de telas à noite

O costume de levar o celular ou o tablet para a cama e dar aquela última checada nas redes sociais antes de adormecer é um dos principais inimigos do sono bom. Primeiro, porque a luminosidade que esses dispositivos emitem (computador, televisão e leitor de livros eletrônicos também) bloqueia a liberação de melatonina, o hormônio que induz o sono e depende da escuridão para ser secretado. Além disso, o conteúdo que se acessa nesses aparelhos pode excitar o cérebro e dificultar o relaxamento necessário para repousar – jogar games, ler notícias, conferir e-mails de trabalho, por exemplo. Minha recomendação é desligar quaisquer equipamentos eletrônicos pelo menos meia hora antes de ir para cama.

Ter hora certa para deitar e para levantar

O cérebro funciona melhor em condições de regularidade, e respeitar horários mais ou menos fixos para as atividades do dia favorece a adesão a novos hábitos, inclusive de sono. Isso vale para o fim de semana também, quando muita gente aproveita para ficar acordado até mais tarde e dormir por mais horas. Habituando-se o corpo a uma rotina, ele naturalmente começará a se preparar quando a hora de dormir for se aproximando. No começo, se necessário, coloque um alarme para avisar o momento de deitar, assim como se faz para despertar de manhã.

Criar um ritual antes de dormir

Seguir uma rotina noturna relaxante é uma maneira de desacelerar o corpo e a mente aos poucos para que o sono chegue naturalmente. Pode incluir um banho morno, uma leitura agradável, conversar com a família, ouvir música, fazer meditação ou exercícios de respiração. Algo que sugiro e pratico é fazer uma lista com as tarefas do dia seguinte antes de deitar: assim desocupo um pouco a cabeça e consigo descansar com mais facilidade. Também vale diminuir o número de luzes acesas em casa um pouco antes de ir para cama. E vou confessar outro costume que me ajuda a dormir mais gostoso: vestir um pijama confortável e, dependendo do clima, meias quentinhas. Funciona como uma dose a mais de aconchego, assim como um copo de leite morno e roupas de cama cheirosas, para algumas pessoas. Procure ir para cama somente quando estiver prestes a adormecer. Caso se sinta agitado ou insone, é melhor se acalmar fazendo outras coisas em vez de esperar deitado o sono chegar, mesmo que esteja tarde. Assim você ensina ao cérebro que cama é lugar para dormir (e, naturalmente, para outras coisas feitas em nome do amor).

Evitar excesso de cafeína

Para muitas pessoas o dia só começa depois de uma xícara de café: é quando se sentem despertas, conseguem raciocinar e engrenar em suas atividades. Isso acontece porque a cafeína, presente também nos chás preto e verde, no chocolate e em refrigerantes, é uma substância estimulante do sistema nervoso, com efeitos na atenção, no processamento de informações e no humor. No entanto, exagerar na quantidade – especialistas recomendam não exceder quatro xícaras pequenas por dia – para compensar a sonolência depois uma noite maldormida (ou várias) não é uma boa estratégia: pode resultar em sintomas de ansiedade – agitação, frequência cardíaca alta e dificuldade de concentração – e perturbar o repouso noturno. Cada indivíduo metaboliza a cafeína de um jeito e pode se mostrar mais ou menos sensível aos seus efeitos, mas sabe-se que o organismo leva de quatro a seis horas para eliminá-la. Entenda como seu corpo reage à substância e evite consumi-la perto do fim do dia para não correr o risco de afastar o sono.

Fazer refeições leves à noite

Imagine que você está quase adormecendo e alguém lhe dá um chacoalhão para obrigá-lo a ficar acordado. É mais ou menos o que acontece com o corpo quando você janta muito perto do horário de ir para cama e, pior, come demais ou ingere alimentos pesados, gordurosos ou muito temperados. Nessas situações, você está forçando o organismo a continuar trabalhando (no processo digestivo) quando deveria desacelerar para entrar em estado de repouso. O melhor é comer leve à noite ou, se for fazer uma refeição completa, esperar pelo menos duas horas para se deitar. Assim a absorção dos alimentos será mais eficiente e você poderá dormir melhor.

Praticar exercícios regularmente

Muitos pacientes com queixas de dificuldade para dormir se surpreendem, depois de algumas semanas praticando atividade física, com o fato de passarem a "capotar" na cama à noite sem demora nem uso de remédios. "Eu achava que tinha insônia", dizem. Insônia e outros problemas ligados ao sono estão frequentemente relacionados com estresse, ansiedade e depressão, como já vimos. As endorfinas e a serotonina produzidas enquanto você se exercita proporcionam uma sensação de bem-estar e relaxamento que melhora o ânimo durante o dia e facilita pegar no sono à noite, aumentando também a duração e a qualidade do descanso. Treinar, sobretudo na parte da manhã, contribui para regular o metabolismo e nosso relógio biológico e faz com que o sono venha naturalmente na hora em que fomos programados para dormir: à noite.

O horário ideal para a atividade física depende de cada pessoa e sua disponibilidade de tempo, mas a descarga de adrenalina e cortisol liberada por exercícios intensos pode retardar a chegada do sono se a pessoa treinar perto do momento de ir para cama. O mais indicado é esperar de duas a três horas para se deitar ou escolher modalidades menos intensas e mais relaxantes. Mas não existe um consenso médico e essa é uma questão bem pessoal. O importante é conhecer o próprio ritmo e procurar manter uma rotina ativa que seja também agradável.

O caso dos remédios para dormir

Sem consciência ou paciência para fazer a higiene do sono e mudar hábitos, muitos recorrem a medicamentos como atalho para tentar descansar até o dia seguinte. Remédios para induzir o sono fazem parte do tratamento da insônia em muitos casos e são seguros quando bem receitados pelo médico, que levará em consideração as causas do distúrbio para fazer uma indicação precisa. Mas podem ter efeitos secundários e colocar a saúde em risco de várias formas se utilizados sem prescrição ou em quantidade maior do que a recomendada.

Não acredito que devam ser a primeira alternativa para resolver problemas para dormir, muito menos considerados uma solução de longo prazo. No entanto, é justamente nessas condições que muita gente os consome e, tempos depois, vem ao meu consultório porque está dependente dessas drogas e continua dormindo mal. As pessoas se automedicam com remédios "emprestados" dos amigos e dos parceiros, aumentam a dose sem consultar o médico e há até quem os tome com bebida alcoólica, como se fosse água.

Existem vários tipos de medicamento para induzir o sono,

todos de uso controlado. Um dos mais conhecidos e vendidos no país é o zolpidem, que tem ação hipnótica e relaxante e, como faz efeito rapidamente, é visto como uma boa opção para deitar e "apagar". Sua indicação é para episódios ocasionais de insônia, mas muitos fazem uso contínuo dele, todas as noites. Começam tomando um comprimido, depois mais um e rapidamente ficam dependentes: quando mal administrado, o remédio gera tolerância, deixa de fazer o mesmo efeito que fazia no início e leva o usuário a aumentar cada vez mais a dose. A dependência é também psicológica: sem o remédio por perto, a pessoa simplesmente não consegue dormir.

Na ansiedade para conseguirem adormecer em pouco tempo, alguns pacientes colocam vários comprimidos na palma da mão e engolem, sem contar quantos. Outros deixam a cartela ao lado da cama, ao alcance da mão para o caso de perderem o sono de madrugada, e só quando acordam de manhã percebem que tomaram vários. Além da dependência, esses medicamentos provocam reações adversas, como lapsos de memória e episódios de sonambulismo, que podem colocar as pessoas em situações arriscadas ou embaraçosas. Não é raro que, sob efeito deles, o indivíduo perambule pela casa, converse com outras pessoas, se acidente, mande mensagens, poste coisas na internet, faça ligações e, no dia seguinte, não se lembre de nada. Como fez uma executiva do mercado financeiro de 50 anos, uma mulher elegante e bem-sucedida. Certa noite, semiconsciente pela mistura de remédios para dormir com álcool, ela mandou mensagens com linguagem grosseira ao chefe, postou comentários em fotos de gente que mal conhecia na rede social, respondeu a cantadas de pessoas em quem não estava interessada e paquerou outras por quem provavelmente se sentia atraída, mas de um jeito inapropriado, como não faria se não estivesse intoxicada. No dia seguinte não se lembrava de nada, mas precisou lidar com uma tremenda dor de cabeça, e não estou falando só da ressaca.

Outro comportamento arriscado é misturar remédios para finalidades diferentes, como vejo ocorrer muito entre os jovens. Uma paciente com um emprego na área de tecnologia teve uma crise convulsiva depois de combinar anfetaminas, que usava com a intenção de aumentar o foco e produzir mais no trabalho, com comprimidos para dormir, pois chegava em casa tão pilhada no fim do dia que não conseguia pegar no sono. O cérebro não está preparado para receber substâncias estimulantes e relaxantes ao mesmo tempo e ninguém sabe o que pode acontecer nessas condições. É como um carro em aquaplanagem, quando os pneus perdem o atrito com o solo ao passarem sobre uma poça d'água na pista e o motorista perde o controle do veículo. Ele pode frear e virar a direção sem que o automóvel obedeça aos comandos, com risco de acidente.

Quer realizar seus sonhos? Primeiro, vá dormir

NIZAN GUANAES

Sempre ouvi minha mãe reclamar do seu sono, da dificuldade que tinha para dormir. Dormir mal, entrecortado ou pouco, ou dificuldade em pegar no sono não é um problema só da minha mãe, mas de milhões e milhões de pessoas no mundo inteiro. Herdei dela esse traço, que durante boa parte da minha vida resolvi com remédio para dormir. Muitas pessoas que conheço também tomam remédios para dormir. Alguns de maneira certa e disciplinada, muitos outros como se fosse a Festa da Uva. Remédio para dormir é uma delícia; ninguém fica viciado em chuchu. Você começa medicado por um especialista que diz o que fazer e o que não fazer com o remédio. Só que depois de um tempo precisa de dois comprimidos para obter o efeito de um. Daqui a pouco, três. Depois, aquele remédio não funciona mais. Aí o sujeito passa a vida trocando de medicamento, ou trocando de médico, e depois se automedica ou é medicado por um amigo que consegue um remédio numa farmácia malandra que vende sem receita.

Só que esse sono de remédio, que vem da paulada que você toma na cabeça, deita e apaga, não tem qualidade. Vou dar um exemplo: eu passava o dia inteiro tomando café e Coca-Cola para aguentar o tranco da vida de publicitário, que é uma das mais estressantes do mundo. Depois de um dia inteiro à base de café e mais de vinte latas de Coca-Cola, eu chegava no final da noite pilhado. Aí, para relaxar, tomava uma boa garrafa de vinho no jantar. Depois, para apagar e dormir a noite inteira, engolia alguns comprimidos para dormir. Resultado: acordava grogue. E para acordar de verdade eu tinha que tomar mais café e mais latas de Coca-Cola o dia inteiro. Só que o sono que provém dessa rotina não tem sonhos, não é profundo nem relaxante. Quem não dorme bem não vive bem, não pensa bem. Decide mal, vive irritado, arisco, grosseiro, envelhece mais rápido. E o pior, acaba com o cérebro e com a memória.

Sono é o alimento da cabeça e da vida. É preciso cuidar dele como cuidamos dos dentes, da pele, da aparência e da forma física. Até porque o sono influencia praticamente todas essas coisas e, ainda, o humor. Sem falar que ajuda a prevenir Alzheimer, já que é durante o sono que o corpo limpa as nossas toxinas.

Nesta sociedade de imediatismo e do 5G, onde tudo é rápido, a gente quer dormir imediatamente e sem qualquer preparo. O bom sono começa às 4 da tarde, quando você para com o café. Começa quando você come leve no jantar e se afasta do celular a partir de determinada hora. Nossos avós faziam tudo isso naturalmente. Tudo que está escrito neste livro, de uma maneira ou de outra, é praticado pela população longeva das Blue Zones, que eu não canso de citar. Entre no Google e digite "Okinawa" para saber mais sobre sua população centenária. Você vai ver que com boa alimentação, exercícios, amor ao trabalho, propósito na vida e cuidado com o sono eles vivem muito mais.

Ou você nasceu abençoado com um bom sono ou tem que seguir a disciplina, a proteção e os macetes dos velhos centenários. Televisão no quarto, nem pensar. Celular até dormir, nem pensar. Comer, comer e comer no jantar, nem pensar. Sem um sono bom você não acorda para o treino no dia seguinte. Não tem disposição para o trabalho nem para boa parte das coisas que este livro recomenda. Meu treinador é categórico ao dizer que o sono faz parte do treino.

Todo mundo fala que tem um sonho na vida. A palavra sonho é a meta dos homens, mas quem não dorme não sonha. Quem não dorme não está apto a realizar seus sonhos. Depois de determinado tempo de tratamento com o Arthur, ele parou de falar dos meus problemas e passou a conversar comigo sobre as soluções: esporte, alimentação, agenda não abarrotada de trabalho, controle do uso do celular e, principalmente, peso e sono. É incrível como tudo isso impacta o trabalho.

Tem pessoas que precisam de mais sono, e outras, de menos, mas todas precisam dele e com qualidade. Quando eu não durmo, passo o dia cansado e agitado, como um bebê quando dorme mal. Cansado, eu tomei as piores decisões da minha vida. Cansado, a gente aumenta os problemas, inventa medos e não consegue enxergar as saídas. Cansado, você não se concentra, se irrita fácil, explode à toa. Foi assim que eu vivi boa parte da minha vida.

A falta de sono é um dos motivos de loucura e sofrimento da sociedade moderna, que vive irritada, ansiosa e intempestiva. Percebo que estou com sono naquela hora do dia em que começo a ficar pessimista, a exagerar os meus medos. Então digo a mim mesmo: isso é sono, já para a cama. O corpo é como um painel de carro, que, se você prestar atenção, mostra de maneira bem clara quando está faltando combustível. E o sono é o combustível para muitas funções do corpo. Eu, por exemplo, escrevi este capítulo num sábado em que acordei às 6 da manhã, bem-disposto depois de ter dormido uma boa noite de sono.

Cuide do seu sono com a mesma disciplina que você, quando tinha filhos pequenos, impunha ao seu bebê para ele dormir. Rotina, alimentação, banho, chá de camomila, quarto escuro, diminuição da agitação a partir de determinada hora. Cuide do seu bebê interior como você cuidava do sono dos seus bebês. Porque seu sono e seus sonhos estão intimamente ligados. Um alimenta o outro nesse maravilhoso ciclo de 24 horas chamado vida.

CAPÍTULO 7

Cultivar bons relacionamentos é a receita para ser feliz e viver mais

ARTHUR GUERRA

Achei interessante quando soube, alguns anos atrás, que o governo do Reino Unido havia criado um Ministério da Solidão. O objetivo era lidar com "a triste realidade da vida moderna", como disse a primeira-ministra britânica à época, Theresa May, e as consequências da sensação de solidão na qualidade de vida das pessoas e no sistema de saúde do país. Lá, cerca de 15% da população disse em uma pesquisa se sentir solitária durante a maior parte do tempo. Em 2021, um estudo do Instituto Ipsos sobre os impactos da pandemia de covid-19 na saúde mental das pessoas revelou que o Brasil é o lugar onde elas mais se sentem sós entre os 28 países participantes – 50% da população relatou essa percepção.

Solidão não é doença, mas de fato pode ser considerada um fator de risco para várias. Há evidências de que aumenta o risco de moléstias cardíacas e demência, além de depressão, transtornos de ansiedade e comportamentos compulsivos, distúrbios do sono e dor crônica. Também está ligada a maiores índices de suicídio. Uma explicação para isso é que pessoas que vivem solitárias têm menos motivação para adotar rotinas saudáveis e se cuidar. Além disso, recebem menos feedback sobre hábitos e comportamentos prejudiciais do dia a dia.

Existe uma diferença entre estar sozinho e sentir-se solitário. Quando alguém vive só ou tem poucos amigos, mas não sofre por isso nem precisa buscar válvulas de escape para evitar a própria companhia, pode-se dizer que a solidão é saudável e até uma oportunidade de introspecção e autoconhecimento. Muitas pessoas sentem-se preenchidas vivendo assim. Por outro lado, quando há o desejo de se conectar com outros, mas ninguém disponível para conversar e compartilhar pensamentos e sentimentos, podem surgir melancolia, tristeza profunda e a sensação de vazio e desamparo. Ou vergonha e desvalor pela percepção equivocada de que se alguém está sozinho é porque fracassou. É aí que muitos recorrem ao álcool, às drogas e até à comida como substituição ao contato humano. Isso ocorre mesmo entre casais e famílias que moram juntos, mas têm pouca disposição ou disponibilidade para participar da vida do outro.

Cultivar boas conexões sociais, familiares e afetivas é um dos pilares da qualidade de vida, tão importante quanto praticar atividade física, ter uma alimentação equilibrada, cuidar do sono, não fumar nem exagerar no álcool. Relações sólidas e felizes funcionam como um escudo de proteção da nossa saúde física e mental.

Um importante estudo da Universidade Harvard, nos Estados Unidos, provavelmente o mais extenso já realizado sobre relacionamentos, felicidade e longevidade, mostrou que o segredo das pessoas que vivem muito é cultivar relações significativas durante a vida. Ao longo de 75 anos os pesquisadores do Study of Adult Development (Estudo de Desenvolvimento de Adultos) monitoraram 724 homens desde sua juventude, entrevistando-os periodicamente, de maneira remota e presencial, e acompanhando questões ligadas a trabalho, família e hábitos de saúde, além de informações médicas, como exames de sangue e de imagem cerebral. Quando o trabalho foi divulgado, em 2015, menos de 60 participantes estavam vivos, todos com mais de 90 anos. Analisando as conclusões a que os cientistas chegaram, destaco três descobertas que acredito serem muito relevantes para os dias de hoje e que vão ao encontro do que defendo quando se trata de cultivar bons relacionamentos.

Interações sociais tornam o corpo e o cérebro mais saudáveis

Quanto mais as pessoas se sentem conectadas com amigos, família e comunidade, mais felizes e por mais tempo vivem, inclusive com bom humor e memória afiada. Já aquelas que passam muitos anos solitárias tendem a apresentar maior perda de capacidade cognitiva e, com isso, menos qualidade de vida quando chegam à meia-idade e à velhice. Presencio isso no meu cotidiano com minha mãe, nonagenária. Conversamos diariamente sobre assuntos da atualidade, de política aos acontecimentos da vida dos filhos, netos e bisnetos, e fico impressionado com sua perspicácia e sua lucidez. Não tenho dúvida de que a curiosidade que ela sempre teve, somada à rica convivência com os mais novos, é um estímulo mental poderoso para manter sua vitalidade e sua disposição. No meu caso, como professor universitário e gestor de várias equipes, considero um privilégio poder interagir com pessoas tão diferentes todos os dias, mais jovens e mais velhas, de realidades distintas, que pensam diferente de mim. Nos cinco anos em que coordenei o Programa Redenção da Prefeitura de São Paulo, aprendi lições valiosas a partir das discordâncias e da convivência com o diverso, algo que os livros e as universidades não ensinam. Eu me refiro tanto ao trabalho com profissionais com formações muito diferentes da que tive quanto ao perfil social dos pacientes atendidos, na extremidade oposta daqueles de que trato em minha clínica. Sou muito grato por essa experiência.

Qualidade é mais importante do que quantidade

Certamente há quem viva feliz e satisfeito tendo menos amigos do que os dedos de uma mão, assim como existe quem seja popular e muito requisitado nos meios onde circula, ou tenha milhares de seguidores nas redes sociais, mas se sinta sozinho em casa no fim do dia. Os dois casos são mais comuns do que podemos imaginar. O que vale nas relações de amizade é a força do vínculo construído, saber que temos por perto alguém com quem podemos nos abrir sobre dilemas e sentimentos e que nos apoia nos momentos difíceis. Cultivar relações assim não é fácil no mundo tão individualista de hoje.

Conversar com nossos amigos nos ensina sobre nós mesmos, ajuda a ver as coisas em perspectiva e a encontrar soluções para os problemas. Muitas vezes vale por uma sessão de terapia, mesmo que eles não sejam profissionais da área. O esporte me permitiu construir um bom círculo de amizades em que há engenheiros, advogados, comerciantes e profissionais de outras áreas, com trajetórias e realidades distintas. Acho ótimo poder falar com eles sobre assuntos que não são trabalho e medicina, assim como ter a chance de às vezes desabafar minhas emoções e questões mais íntimas. Eu, que no dia a dia como psiquiatra ouço os problemas dos outros, considero importante ter com quem compartilhar os meus também.

Sempre digo que os treinos são apenas metade do que me leva a obter um bom rendimento nos esportes que pratico; a outra metade são os amigos. São eles que, mesmo não sabendo, me ajudam a ter disciplina e me incentivam se penso em faltar a uma aula ou deixar de participar de uma prova. Acordar antes das 6 da manhã para correr, pedalar ou nadar nem sempre é a coisa mais agradável do mundo, sobretudo nos meses frios ou quando estou em uma fase intensa de trabalho. Fazer parte de um grupo e saber que estão esperando por mim não me deixa sucumbir à preguiça ou à agenda cheia. Também são eles que me aguardam quando um pneu da minha bicicleta fura no meio do percurso, que têm paciência para ensinar técnicas que ainda não conheço, me apresentam novidades e indicam os melhores acessórios para cada modalidade.

Para qualquer um que queira sair do sedentarismo e mudar hábitos, mas está achando difícil avançar, sugiro que encontre uma boa companhia – um amigo, vizinho, parente, colega de trabalho ou mesmo seu médico, se estiver disponível, por que não? – e comecem a se exercitar juntos. O compromisso com o outro ou a turma ajuda a ter motivação e regularidade, contribui para organizar a rotina e garante boas risadas antes, durante e depois de treinos e competições.

Conexões verdadeiras pedem manutenção constante

O que dá "musculatura" a uma relação de amizade ou de outra natureza, isto é, o que a torna forte de verdade, é quanto cada parte está disposta a fazer pela outra sem esperar nada em troca. Ser capaz de escutar sem julgar, perdoar quando for preciso, realizar pequenos sacrifícios e se fazer presente, mesmo que não fisicamente. Priorizar as relações que são importantes para nós significa também saber atualizá-las com o tempo, criando oportunidades para interagir e compartilhar interesses e fazendo um esforço constante para saber como o outro está. Boa parte dos meus amigos de longa data são médicos. É muito bom sentir que fazemos parte da vida de outras pessoas há tanto tempo, acompanhando as conquistas e os caminhos uns dos outros. Essa sensação de pertencimento nos fortalece e ajuda a dar sentido à vida.

Você tem tempo para ouvir seus amigos?

Eu, você e praticamente todos nós temos um amigo ou conhecido passando por um problema de saúde mental neste momento. Com tantas pessoas adoecendo tão perto de nós, todos deveriam considerar que têm um papel de cuidador a desempenhar, mesmo não sendo psicólogo ou psiquiatra. Esse é mais um motivo para darmos atenção ao nosso bem-estar. Sabe aquele procedimento de emergência no avião, que orienta a colocar a máscara de oxigênio primeiro em nós mesmos antes de ajudar o passageiro ao lado em caso de despressurização da cabine? Com a saúde mental é a mesma coisa: só seremos capazes de realmente apoiar alguém se estivermos bem e saudáveis.

Como ajudar sem ser um especialista? Primeiro, estando atentos ao nosso entorno – família, colegas de trabalho, amigos – para identificar quando alguém próximo pode estar passando por alguma dificuldade de saúde mental. Professores têm a responsabilidade de informar os pais quando uma criança ou adolescente se isola ou briga demais com os colegas na escola. Dos chefes espera-se que notem problemas de relacionamento ou queda no desempenho de seus subordinados. Pais e mães precisam aprender a decifrar quando certos comportamentos dos filhos são, na verdade, um pedido de ajuda ou de atenção.

Muitas vezes percebemos o sofrimento de alguém e ficamos paralisados, seja porque não temos intimidade suficiente e não queremos ser invasivos, seja porque não sabemos mesmo o que fazer para ajudar de verdade. Pois uma das atitudes mais úteis que alguém pode tomar diante da dificuldade do próximo é escutar. É simples, mas não necessariamente fácil. Estou falando de ouvir sem fazer julgamento nem tentar chegar a um "diagnóstico" do que a pessoa está passando para então "prescrever" alguma conduta. Isso é tentador nos dias de hoje, eu sei. Somos tão bombardeados por informação o tempo todo que é compreensível querermos responder de pronto com algum conselho que alivie o sofrimento de alguém com quem genuinamente nos importamos. Mas que tal tentar apenas escutar?

Muitas vezes o desabafo contém um pedido ou uma mensagem que não está explícita nas palavras, e é preciso sensibilidade e paciência para captá-la. Daí, quem sabe, possamos ajudar mais ativamente. Será que a pessoa não está querendo apenas um ombro amigo e um ouvido atento? Será que precisa de indicação ou companhia para ir ao psiquiatra ou psicólogo? Existem outros modos de apoiar que não dando conselhos de maneira automática.

Talvez você já tenha passado por alguma situação parecida com esta que vivi com minha esposa um dia desses. Ela chegou em casa nervosa e começou a me contar o que estava acontecendo. Cada vez que fazia uma pausa no discurso eu aproveitava para dar uma ideia ou propor uma solução que, na minha opinião, seria apropriada. Até perceber que, além de não concordar com nada e rebater tudo o que eu dizia, ela foi ficando mais irritada. "Então o que você quer?", perguntei carinhosamente. A resposta veio no ato: "Falar!" Ela não esperava que eu resolvesse o problema, queria apenas desabafar. Como sou muito prático, já fui pensando em possíveis saídas, quando o melhor jeito de ajudar seria simplesmente ouvindo. Quando me dei conta, passei a escutá-la, com paciência e sem interrupções, mesmo que meu pensamento viajasse de vez em quando...

Como psiquiatra, a escuta é uma habilidade que preciso exercitar diariamente, embora às vezes eu cometa no consultório deslizes como o que acabei de revelar, interrompendo pacientes ávidos por falar de suas questões. Alguns se irritam, com razão. "Posso só concluir meu raciocínio, doutor?", me perguntam, colocando-me no meu lugar. Peço desculpas e seguimos, eu me policiando constantemente – já contei que não tenho a paciência dos psicanalistas... – e me concentrando em identificar o que está contido em cada fala e em como ajudar cada pessoa.

Fora da relação entre médico e paciente, muitas vezes basta estar presente quando alguém nos procura para dividir uma angústia, dúvida ou problema. Tentar se colocar no lugar do outro para entender como ele gostaria de ser ajudado – isso é empatia – é um próximo passo importante quando se pretende oferecer suporte emocional eficaz. Mais uma vez, nem sempre é fácil. Na dúvida, experimente inverter os papéis: o que você gostaria que fizessem se fosse você que estivesse precisando de ajuda?

Já comentei que a ideação suicida, quando alguém tem pensamentos de tirar a própria vida, muitas vezes está ligada à depressão e representa uma emergência de saúde mental no mundo hoje. É um drama que está mais perto de nós do que imaginamos, embora não se fale abertamente sobre ele pelo tabu que representa. Mesmo médicos têm dificuldade para abordar o assunto com seus pacientes – estudos conduzidos nos Estados Unidos apontam que apenas um em cada três faz isso. Quando nos deparamos com alguém que dá indícios de querer se matar, nós, profissionais de saúde mental, temos que olhar para essa pessoa de maneira respeitosa e amorosa, ao mesmo tempo que devemos tentar entender o sofrimento dela e ajudar a amenizar sua angústia. Mesmo sabendo que talvez não tenhamos o poder de demovê-la da ideia.

Nos meus mais de 40 anos como psiquiatra tive poucos pacientes que se suicidaram, e me lembro bem de cada um deles. Em especial de um homem de meia-idade, dependente de medicamentos, que eu atendia havia mais de dez anos, entre períodos bons e outros de recaída, como é normal nesses casos. Um dia, ao final de uma consulta, ele se despediu dizendo que iria dar um tempo no tratamento, pois estava cansado e queria tentar alguma coisa diferente. "Obrigado por tudo, doutor", foram as últimas palavras que me disse. Coloquei-me à disposição para ajudá-lo quando decidisse voltar, como sempre faço. Duas semanas depois eu soube que ele havia sofrido um acidente de carro em circunstâncias nunca esclarecidas. Tenho para mim desde então que talvez ele já estivesse decidido naquele nosso último encontro, embora isso não tenha me passado pela cabeça na época, confesso.

Ninguém deve tomar para si a responsabilidade pela decisão de outros sobre tirar a própria vida nem achar que poderia ter prestado mais atenção aos sinais ou feito algo para tentar evitar. Mas o que fazer quando percebemos que alguém próximo está sofrendo e pode estar alimentando a ideia de cometer suicídio? Muitas pessoas acham que abordar a questão com alguém que parece estar pensando em se matar pode acabar encorajando a consumação do ato. Não é verdade. Conversar com alguém que está com depressão e desesperançado a ponto de pensar que mais vale morrer do que viver pode abrir caminho para que essa pessoa exponha seus sentimentos e enxergue formas alternativas de lidar com a dor. No entanto, é importante dar o tom certo ao diálogo: acolhedor, empático, responsável e livre de julgamentos. Comentários inadequados, mesmo quando a intenção é ajudar, podem ter o efeito contrário, levando o doente a se sentir pior e afastando-o de buscar ajuda médica.

Por exemplo, em vez de falar "Você vai ficar o dia inteiro no quarto? Tem que levantar da cama", seria melhor dizer "Vejo que você não está bem, quero ajudá-lo. Pode estar difícil agora, mas você vai se sentir melhor". Ou, no lugar de falar "Nossa, você não parece ter depressão", perguntar "Como está lidando com isso? Posso ajudar a encontrar um médico?" Ou, ainda, em vez de "Que exagero, acha que precisa mesmo de um psiquiatra?", talvez fosse melhor "Não entendo exatamente o que você está passando, mas saiba *que não está sozinho. Conte comigo*".

Para completar, um abraço afetuoso, um toque no ombro e pegar na mão da pessoa também ajudam muito, às vezes mais do que palavras de consolo ou aconselhamento.

O papel da família no cuidado da saúde mental

Ter um parente com um problema ou em tratamento de saúde mental, ou passando por um período de instabilidade emocional, pode transformar profundamente as relações e a dinâmica familiar, para o bem ou para o mal. Em uma situação ideal, pai, mãe, parceiro ou parceira, filhos e irmãos são o porto seguro do doente, no qual ele pode encontrar apoio afetivo, companhia e incentivo para iniciar e persistir em um caminho de mudança de hábitos.

Quando se trata de um indivíduo com histórico de uso nocivo de álcool ou drogas, é muito importante que os profissionais de saúde envolvidos possam contar com as pessoas mais próximas para reconhecerem mudanças comportamentais que sejam indicativas de recaídas (como instabilidade do humor, isolamento e prejuízo no desempenho no trabalho). Esses parentes ou amigos também ajudam a supervisionar o uso de medicamentos e garantir a ida às consultas, por exemplo. Algumas vezes, assumem a tomada de decisões em casos em que o paciente perde a capacidade de escolha, como em uma crise, overdose ou outras circunstâncias que tragam a necessidade de internação.

No caso de alguém que está em uma rotina indisciplinada, vivendo sob estresse crônico, ansioso e brigando com todo mundo, mas não reconhece ou se nega a aceitar que tem um problema, geralmente são os mais íntimos que ajudam a identificar que algo está fora da normalidade. Também são eles que estimulam a buscar assistência médica. O engajamento da família na atenção e no tratamento psiquiátrico fortalece o vínculo entre as pessoas e eleva a confiança em quem está precisando de cuidado, o que aumenta as chances de bons resultados.

Por outro lado, relações familiares tóxicas ou disfuncionais podem estar na origem do sofrimento psíquico e de comportamentos prejudiciais. Já vivi uma situação em que o paciente me pediu socorro para se livrar da dependência de remédios e bebida alcoólica e acabei conhecendo a família completa. Nesse processo, descobri que o pai tinha atitudes abusivas em casa, a mãe estava com depressão profunda e os irmãos também enfrentavam problemas com drogas, sendo que todos conviviam no mesmo ambiente. É evidente que ali ninguém poderia de fato oferecer ou contar com uma rede de apoio porque todos precisavam ser tratados. Faz parte do cuidado consigo e com outros reconhecer quando pessoas e ambientes nocivos (não somente dentro da família, mas no trabalho e entre amigos) contribuem para o adoecimento ou são empecilhos para a recuperação.

Cuidar de alguém, principalmente em tratamentos de longo

prazo, pode alternar fases calmas e turbulentas. É provável que quem acompanha e assiste um parente nessa jornada também sofra e se sinta sobrecarregado por atividades, responsabilidades e preocupações, com o risco de acabar adoecendo junto. Por isso, faço questão de integrar os familiares na agenda de cuidados sempre que possível e encorajo-os a buscar válvulas de escape e momentos de bem-estar.

Sexo bom também é saúde

Não precisa ser médico para saber que a vida sexual influencia nosso humor e nosso bem-estar. Se ela está boa, dá um tempero especial aos dias e nos deixa mais confiantes e dispostos. Quando não está, e por isso vira motivo de infelicidade e frustração, é importante entender por quê.

No contexto de uma consulta com um psiquiatra, o assunto vida sexual deve partir do paciente. Nunca pergunto de cara sobre a intimidade dele. Se houver uma queixa relevante a respeito, a tendência é que logo apareça, pois o sexo atravessa vários (se não todos os) aspectos da vida. Como médico, preciso ser cuidadoso ao abrir a caixa que contém esse tema para entender o que há dentro dela antes de prescrever qualquer prática ou tratamento. Sexo, assim como saúde mental, é um tabu na nossa sociedade, o que leva muitas pessoas a evitar o assunto ou ter dificuldade em abordá-lo. Não deveria ser assim. Não há nada de errado em fazer sexo ou falar sobre ele, até porque a sexualidade é um importante indicador de qualidade de vida, com impacto em tudo que somos, sentimos e fazemos.

Viver estressado, cansado, preocupado ou ansioso interfere no desejo e no desempenho sexual porque altera a produção de hormônios, entre eles testosterona e estrogênio. E a química de alguns remédios psiquiátricos atua no cérebro de modo a dificultar a excitação e o orgasmo, ainda mais se usados sem orientação e em excesso.

Transar, por sua vez, é uma ótima válvula de descompressão do estresse e da ansiedade. Durante uma relação, das preliminares até o orgasmo, o corpo recebe uma descarga de substâncias químicas que proporcionam prazer e relaxamento. Há, também, o efeito da ocitocina, cuja produção é desencadeada pelo contato físico com pessoas de quem gostamos e colabora para criar conexões de afeto e confiança – por isso ficou conhecida como hormônio do amor e dos vínculos emocionais. Abraçar, acariciar, fazer cafuné e beijar estimulam a liberação da substância, que reduz os níveis de cortisol e adrenalina e abaixa a pressão arterial, nos deixando mais calmos. Está explicado por que receber um abraço ou outra demonstração física de afeto é reconfortante quando se está triste ou ansioso.

Não é a frequência das relações nem a quantidade de orgasmos o que determina se a vida sexual de alguém está boa ou não. O que vale é quão satisfeita a própria pessoa está com as coisas como estão. O interesse em transar pode variar de acordo com o momento da vida, com a presença ou não de uma companhia que valha a pena e outros fatores. Alguns vivem muito bem sem sexo, inclusive. O mais importante é entender do que cada um precisa para ser feliz e, então, buscar realizar seus desejos. Não existe certo e errado quando se trata de sexualidade. São as convenções religiosas, culturais e sociais que nos fazem acreditar no contrário, e muitas vezes nos impedem de viver uma sexualidade saudável porque a revestem de culpa e julgamento, resultando na repressão de sentimentos e impulsos.

Quando há envolvimento afetivo, a vida sexual fica melhor ainda. Em um relacionamento amoroso saudável, os parceiros devem se sentir conectados e apoiados – o sexo é um importante elemento de conexão e suporte emocional –, mas também ter espaço para exercer sua individualidade e liberdade para fazer as próprias escolhas, inclusive as sexuais. Para isso acho saudável e respeitoso que se criem acordos íntimos, que chamo de "combinados", sobre o que vale e não vale dentro daquela parceria. Casais que conversam sobre suas preferências na intimidade, as expectativas de cada um e as diferenças em relação à importância que cada um dá a transar tendem a ter uma vida sexual melhor. Sentir-se inadequado ou desrespeitado, perceber que pisa em ovos para agir ou falar o que pensa e abrir mão de algo para evitar discussão ou julgamento são sinais de que você pode estar em um relacionamento que faz mais mal do que bem. Casamentos sem amor e companheirismo muitas vezes são mais nocivos do que passar por uma separação.

A dificuldade de se conectar afetivamente pode levar a comportamentos sexuais tóxicos e que oferecem riscos à saúde física e mental, como transar com o maior número de parceiros possível ou sob o efeito de substâncias, como vejo muitos jovens fazerem. É praticamente impossível conciliar o uso crônico de álcool e drogas, inclusive remédios, com uma boa vida sexual, embora muitos recorram a eles justamente na tentativa de ficarem mais soltos, potentes e ter prazer.

Certa vez, a família de uma mulher de 30 anos me chamou ao hospital onde a filha precisara ser internada por um surto psicótico. A jovem tinha passado a noite em uma balada com os amigos usando vários tipos de droga. Nos dias seguintes, recuperada, contou-me que fazia aquilo com frequência e que a diversão quase sempre terminava na cama com alguém, muitas vezes um completo desconhecido. Até que um dia me revelou, assustada e envergonhada, que havia sido abordada por um rapaz que não reconheceu, mas que a cumprimentou como se fossem próximos. Ele a lembrou de que os dois tinham dormido juntos em determinada ocasião da qual ela não se recordava. A jovem ficou muito mal. Durante o tratamento, percebeu que por trás daquele comportamento aparentemente livre e dominador existia uma enorme dificuldade de se relacionar com os homens. Não quis mais aquela vida, então se distanciou de companhias que considerava más influências, retomou a faculdade, começou a trabalhar e a frequentar a academia. Entendeu que só conseguirá estar em uma relação saudável se estiver bem consigo mesma.

É impossível ser feliz sozinho

NIZAN GUANAES

"A cultura da otimização está matando nossos relacionamentos." *Esse era o título do editorial do* The New York Times *de 18 de abril de 2022. Ele sintetiza tudo o que eu não estava conseguindo formular para escrever este capítulo. Mas o que é a cultura da otimização? Hoje em dia, quando a reunião de Zoom acaba, a gente simplesmente dá tchau, aperta o botão de encerrar e acabou. Não perdemos tempo, mas também não tem bate-papo, não tem cafezinho e não tem empatia.*

Na pandemia, a cultura da otimização e da eficiência ficou ainda melhor. Mas veja: melhor para o trabalho, pior para os relacionamentos, como diz aquele editorial. Afinal, qualquer relacionamento, seja de amizade ou amoroso, toma tempo. A covid-19 acelerou esta séria tendência já latente: de declínio das relações significativas e aumento do isolamento social.

Aquele editorial também cita uma pesquisa de 2019 segundo a qual 61% dos americanos se dizem sozinhos. Sessenta e um por cento, a maioria. Entre os principais motivos dessa solidão está o fato de eles não confiarem nas pessoas e não terem tempo para relacionamentos. E veja que essa é uma pesquisa anterior à pandemia. É por isso que a principal autoridade de saúde pública dos Estados Unidos, que carrega o título de surgeon general, diz que vivemos uma epidemia de solidão. O que é dramático, porque, como diz a música, é impossível ser feliz sozinho.

Com a covid, essa perigosa tendência de comportamento piorou. Afinal, o convívio virou um risco. Eu, por exemplo, passei quase seis meses trancado numa casa no interior de São Paulo descobrindo os deliciosos e perigosos prazeres solitários da leitura, das séries e do WhatsApp. Vivemos um momento de muito individualismo, de pessoas voltadas para o trabalho e para si mesmas. Isso já vinha grassando na sociedade, mas deu um salto quando fomos obrigados a nos proteger do vírus que o outro transmite. E se enraizou de modo tão exponencial na gente que as pessoas agora não querem voltar ao trabalho presencial.

Poder trabalhar em home office, para mim, foi libertador. Escrevi boa parte deste livro em casa, em Trancoso, em Nova York, em lugares onde consigo trabalhar o dia inteiro com tranquilidade. Mas não podemos passar nossa vida trancados em casa e em nós mesmos. Uma vida em streaming. O vibrador pode auxiliar no sexo, mas substituir o sexo ou o amor não é papel dele.

Nas Blue Zones, as pessoas vivem muito porque se alimentam do melhor alimento que existe para a alma e para a cabeça: amigos e relacionamentos. Nesses lugares, é um ritual diário, quase religioso, encontrar e passar algum tempo com os amigos no fim de cada dia.

É por isso que faz muito sentido que o doutor Arthur Guerra, *em nossas consultas semanais, bata sempre na tecla de ter tempo na agenda para a vida. Falamos sempre sobre agenda de trabalho, mas Aristóteles dizia que o lazer é mais importante que o trabalho.*

Não quero dizer com isso que você não deva ter um trabalho inspirador; é óbvio que não. O princípio fundamental dos cidadãos centenários do Japão é o ikigai. Ikigai é o propósito de vida, aquilo que faz com que você pule da cama todos os dias. Sem um ikigai, sua vida não tem sentido. O meu é exercer o dom da comunicação.

Uma vez na minha vida eu tive a oportunidade de ficar bilionário. Só que para isso teria que passar a vida fazendo o que eu não tenho talento nem vocação para fazer. Às vezes, meu sabotador interno se arrepende por alguns minutos daquela decisão. Só que eu olho para a minha família, o trabalho que eu amo, para meus amigos, meu esporte, para minha vida e me pergunto: Nizan, você aguenta ser feliz? Está faltando alguma coisa? Aí eu sei que fiz a escolha certa.

Então a gente não pode ser eficiente no trabalho e ineficiente nos relacionamentos, fundamentais para a felicidade. As pesquisas mostram que relações significativas, não as passageiras, são a chave para a saúde física e mental. Só que fazer amigos, conquistar o amor, manter um casamento e uma família unida, tudo isso dá trabalho, muito trabalho.

Quando Donata, com sua sabedoria prática, fala que amigos dão trabalho, está dizendo a verdade. Porque você tem que recebê-los ou visitá-los, o que sempre dá alguma mão de obra. Se viaja com eles, vai ter que fazer as coisas do jeito de todos, não só do seu. Filhos, sobretudo os adolescentes, enchem a casa de alegria, mas também de som alto. Escolhem séries de que eu não gosto, mas que depois aprendo a adorar. Fazem um monte de coisas de que não gosto e que me tiram da minha zona de conforto, mas que acabo amando. Tudo isso dá trabalho.

Quando Arthur Guerra me incentivou a treinar em uma academia, não estava só me estimulando a abraçar um esporte, mas a me relacionar mais com as pessoas. A ter um novo estilo de vida. Naquela conversa falando merda na esteira, no papo furado no café pós-treino e na lanchonete da academia, você faz amigos novos. É democrático. Gente que vive realidades sociais diferentes da sua e tira você da sua bolha. Doutor Guerra também me influenciou para frequentar um clube. E eu não só entrei de sócio como fui morar perto dele.

Em Salvador, o clube é a praia, o bloco de Carnaval, a igreja, o terreiro que você frequenta. Em São Paulo, a gente acaba vivendo numa bolha. Então o clube também é uma maneira de conviver com o professor, o bancário, o aposentado, o atleta e até o bilionário. O clube é a praia de São Paulo, onde eu faço esportes e faço amigos. E, mais importante, é o lugar em que eu não faço nada profissionalmente.

O que eu tenho de amigas bonitas e sozinhas não é brincadeira. E eu me pergunto o tempo todo: por que elas, tão bonitas, inteligentes e interessantes, estão tão sozinhas? Sabe por quê? Porque amor e amizade são investimentos sem garantia de retorno. Amizade ou amor não é custo-benefício. Não é renda fixa, mas investimento de longo prazo. A pandemia atrofiou o nosso músculo do relacionamento. Ficamos preguiçosos para fazer amizade, amar, namorar, casar. Tudo ficou mais Zap, mais Tik, mais Tok e mais Zoom.

Tudo isso que estou falando sobre os outros aqui são coisas de que fui me afastando ao longo da minha escalada de sucesso.

Quando você se distancia dos seus amigos de verdade e passa a ter só amigos do trabalho, deixa de criar e nutrir relacionamentos para fazer networking. Só que quando você tem um problema de verdade, essas pessoas somem porque, como o próprio nome diz, elas são amigas do trabalho, não suas amigas.

Se não fosse a Donata, eu não teria a família que tenho nem a roda de amigos que tenho. E Arthur Guerra me doutrinou a acreditar que cuidar dos relacionamentos é cuidar da nossa saúde física e mental.

Eu tenho uma amiga que é linda, super bem-sucedida e sozinha. Ela vive mudando de cartomante e pai de santo em busca de saber se e quando vai encontrar um amor. Cada um recomenda um trabalho. Ela faz o tal trabalho para conquistar o amor, mas quer que o homem da sua vida seja entregue como no iFood. Como não é assim, e nunca foi assim, ela continua sozinha.

Mesmo aqueles que sabem de tudo isso desaprenderam um pouco a se relacionar durante a pandemia que atravessamos. Portanto, se precisar, leia e releia este capítulo para que você aguente ter amigo, aguente ter um amor. Porque isso é aguentar ser feliz. Afinal, este livro é sobre ser feliz. E, como diz a música, repito: é impossível ser feliz sozinho.

CAPÍTULO 8

Mitos e riscos do uso de álcool e substâncias para relaxar

ARTHUR GUERRA

Como especialista em tratamento de dependências, durante toda a minha trajetória profissional eu estudei e discuti os efeitos físicos e comportamentais das drogas. Um grande desafio que persiste ao longo de todos esses anos é convencer as pessoas de que o álcool *é uma droga*, e de que o exagero no consumo pode trazer grandes prejuízos à saúde, e não refiro somente aos órgãos e tecidos do corpo. Beber demais afeta também a vida familiar, o desempenho no trabalho, o bem-estar financeiro e a autoestima.

Mesmo assim, e justamente por me dedicar há tanto tempo ao assunto, não posso culpar as bebidas pelos problemas que causam. O uso irresponsável que podemos fazer delas, sim. Penso da mesma forma em relação ao dinheiro, à tecnologia e ao poder: são demonizados por quem enxerga apenas os danos que podem provocar quando, na verdade, somos nós que decidimos utilizá-los para o bem ou para o mal.

Há milhares de anos, desde a Antiguidade até os dias de hoje, o álcool é um agente de socialização, servido em celebrações com a função de "lubrificar" a interação entre as pessoas. Na nossa cultura, é fácil encontrar razões para brindar: bebemos nos almoços de família, em batizados e em casamentos e em ocasiões românticas.

O prazer imediato proporcionado pelo álcool é um motivo para o primeiro drinque ou taça. A partir daí, muitos podem perder o controle. Uns bebem buscando se enturmar ou aliviar a tensão do trabalho, outros na tentativa de lidar – ou, melhor, evitar lidar – com sentimentos incômodos e situações dolorosas, como um trauma, uma separação ou a morte de alguém importante. São exemplos de quando a bebida se torna uma válvula de escape para angústia, ansiedade, tristeza, insegurança e solidão. Mas é autoengano achar que um drinque (ou vários) vai resolver algum problema ou aflição. Além disso, a ação da substância no organismo é curta, pode durar até três horas. Passado o efeito, a vida real e as emoções que a pessoa tentava mascarar continuarão presentes, por vezes mais intensas do que antes. O que acontece, então? Ela continua bebendo, na expectativa de prolongar ou repetir a sensação de anestesia e fuga da realidade. Nesse ritmo, muitos se tornam bebedores crônicos, e daí para a dependência é um pulo.

Mesmo que haja pesquisas indicando potenciais vantagens do consumo leve ou moderado de determinados tipos de bebida dentro de algumas faixas etárias, é bom saber que elas nunca superam os malefícios. Por exemplo: a ideia de que tomar uma taça de vinho tinto por dia faz bem ao coração, difundida nas últimas décadas, desde que se começou a descobrir mais sobre as propriedades funcionais dos alimentos, virou pretexto para muitos normalizarem o hábito de beber diariamente. Não é tão simples assim. Nesse caso, parece haver mesmo compostos antioxidantes na casca da uva que conferem ao vinho uma ação protetora da saúde cardiovascular, ajudando a evitar infarto e acidente vascular cerebral. Isso, porém, não dá à bebida status de medicamento, muito menos justifica que seja consumida como se tivesse o poder de prevenir essas doenças, como alguns raciocinam. Tomar vinho pensando em aproveitar suas propriedades benéficas só faz sentido dentro de um estilo de vida saudável de maneira geral, com alimentação equilibrada, prática de atividade física e atenção à qualidade do sono. *Nenhuma bebida alcoólica é inócua ou terapêutica.*

Tecnicamente, beber com moderação significa que mulheres podem tomar o equivalente a uma taça de vinho ou um copo (ou lata) de cerveja ou uma dose de destilado por dia, cinco vezes por semana. Cada uma dessas porções corresponde a uma dose e contém cerca de 14 gramas de álcool. Para homens seriam duas doses por dia, ou até dez doses por semana (desde que não no mesmo dia). Pode ser que as quantidades não levem à embriaguez – esse é o ponto em que o consumo passa a ser excessivo –, mas não significa que sejam inofensivas. Até porque não se pode generalizar os efeitos do álcool no organismo, que dependem de gênero, composição corporal da pessoa, histórico de saúde, vulnerabilidade genética e até do momento de vida. A OMS adverte que não há volume seguro para ingestão de álcool, dada sua toxicidade e seu potencial de prejudicar todos os órgãos do corpo. Como médico, reforço: se não for para beber com moderação, o melhor é não beber.

Ao ser ingerido, o álcool passa pelo estômago e o intestino e chega ao fígado. Lá, é quebrado em pequeníssimas partículas, que rapidamente entram na corrente sanguínea e passam a viajar pelo corpo, afetando outros órgãos, como rins, vasos, músculos, ossos e coração. No cérebro, as primeiras doses provocam a sensação de relaxamento e bem-estar que nos deixa mais desinibidos e falantes. À medida que continuamos bebendo, ocorrem alterações como perda de reflexos e coordenação, a fala fica arrastada e a percepção visual, prejudicada, o sistema digestivo é sobrecarregado e aparecem náuseas e vômitos. Áreas cerebrais responsáveis pela capacidade de julgamento e tomada de decisão são afetadas, o que predispõe a comportamentos imprudentes e de risco, desde dirigir embriagado até fazer sexo não consensual.

O limite que separa o beber moderado do exagerado é sutil. Dois comportamentos típicos revelam quando o uso recreativo do álcool está se tornando abusivo:

- *Beber pesado episódico (ou binge drinking)*: ocorre quando o consumo é igual ou superior a quatro doses (mulheres) e cinco doses (homens) em uma mesma ocasião (em até duas horas), pelo menos uma vez por mês. Quando alguém não bebe todos os dias, mas toma um porre no fim de semana ou sempre que vai a uma festa, está bebendo no padrão *binge*, que é tão ou mais prejudicial do que beber em menor quantidade e maior frequência. É comum entre adolescentes e jovens universitários – aproximadamente 25% deles têm esse comportamento, de acordo com o levantamento feito pela Faculdade de Medicina da USP com estudantes do país inteiro – e preocupante, porque afeta o cérebro dessas pessoas em uma fase em que o órgão está em maturação, sem falar nos danos precoces a outras partes do corpo.

- *Beber pesado*: o consumo alcança ou excede oito doses (mulheres) e 15 doses (homens) por semana, acima do limite diário do que se considera beber moderadamente.

É o consumo contínuo e prolongado que torna a pessoa dependente. Como o álcool gera tolerância, isto é, quanto mais você bebe, mais precisa beber para obter a mesma sensação, a tendência é haver uma mudança no padrão de uso em pouco tempo, com a ingestão de quantidades cada vez maiores. Até que o indivíduo passa a beber não porque sente vontade ou prazer, mas porque o fato de não beber gera desconforto e, com o tempo, enorme desprazer. Quando o consumo deixa de ser espontâneo e agradável e passa a acontecer para aplacar o desconforto e a ansiedade causados pela abstinência, acende-se o alerta.

A combinação de álcool com ansiedade nunca dá certo. Estudos em psiquiatria e epidemiologia mostram que ter um diagnóstico relacionado a ansiedade aumenta o risco de desenvolver ou agravar um quadro de dependência alcoólica. E o contrário também ocorre, ou seja, ter problemas com bebida eleva a exposição a transtornos de ansiedade e humor, além de depressão.

Com frequência me perguntam como saber se alguém está bebendo de maneira equilibrada ou em excesso, com o risco de se tornar dependente. Escuto isso de pacientes a respeito do próprio comportamento e de familiares que detectam sinais no parceiro ou na parceira, nos filhos, nos pais ou nos irmãos. Primeiro, respondo que o simples fato de se questionar a respeito é um bom sinal e uma atitude preventiva, pois mostra que a pessoa está atenta e consciente de que pode estar havendo abuso de sua parte ou de terceiros. Com isso, tem chance de freá-lo.

Normalmente, os parentes que acompanham mais de perto nossa rotina são os primeiros a perceber quando alguém passa a trocar o beber socialmente por tomar um drinque ou mais todo dia, a qualquer hora e até sem motivo. Se essa pessoa apresenta mudanças de comportamento desencadeadas pelo álcool, como agressividade e irritação, é frequente haver conflitos em casa. Outros sintomas ajudam a reconhecer quando o uso recreativo se torna patológico, como forte desejo de beber e dificuldade para parar depois de começar, continuar usando álcool apesar das consequências negativas (como brigas, mal-estar físico, esquecer compromissos e cometer erros no trabalho) e priorizar a bebida em detrimento de outras atividades ou obrigações.

Depois da família, são os amigos e colegas de trabalho, inclusive o chefe, que percebem quando falta de foco, queda no rendimento e ausência em reuniões e eventos, entre outras variações nos hábitos e atitudes, podem estar associadas ao excesso de bebida.

Nos últimos anos, o consumo de álcool disparou, motivado pelas mudanças e pelos desafios trazidos pela pandemia. Pessoas que só bebiam no fim de semana, por exemplo, aumentaram a frequência e até passaram a beber diariamente, tanto por estarem sob pressão emocional quanto por ficarem mais tempo em casa. Outras, que já tomavam um drinque todo dia à noite, começaram a beber mais cedo, na hora do almoço. Inventou-se o *happy hour* virtual, em que amigos se encontram on-line, cada um em sua casa, para beber (às vezes em maior quantidade, já que ninguém precisa voltar dirigindo) e contar como foi o dia. Mesmo com o retorno à vida presencial, muitos acabaram incorporando os novos hábitos à rotina e estão bebendo mais do que antes. Nem todos entram em um quadro de dependência, mas é preciso ficar alerta aos sinais de abuso.

Por último, vêm as mudanças no corpo: a pessoa engorda e a barriga cresce. Em um estágio mais avançado de dependência, o rosto fica inchado e avermelhado. Tudo é resultado do potencial calórico e tóxico do álcool consumido em excesso.

Por que alguns ficam dependentes do álcool e outros não

Essa é a pergunta que vale um milhão de dólares nesse campo de estudo da medicina, pois não existe até o momento uma resposta certeira para ela. O que a ciência já descobriu, com fortes evidências, é que fatores biológicos, genéticos, psicológicos e sociais interagem para desencadear ou não a dependência.

Sabemos, por exemplo, que algumas pessoas metabolizam melhor o álcool graças à presença maior de enzimas no fígado que têm essa função. Com isso, aguentam mais doses, demoram para ficar embriagadas e desenvolvem uma tendência a beber em grandes quantidades. São mais propensas à dependência.

A genética também tem seu papel, embora não seja determinante. Dois irmãos gêmeos univitelinos – que, portanto compartilham os mesmos genes –, que cresceram juntos e receberam educação equivalente, podem ter histórias bem diferentes quando se trata do consumo e da relação com o álcool, com um fazendo uso abusivo e o outro não, ou um conseguindo abandonar a bebida por conta própria e o outro não. O fato de ter pai, mãe ou tios com histórico de dependência pode tornar o indivíduo mais vulnerável a desenvolver a mesma doença, mas não se trata de uma sentença.

A edição mais recente da Pesquisa Nacional de Saúde do Escolar (PeNSE), realizada pelo Instituto Brasileiro de Geografia e Estatística (IBGE) em 2019, mostrou que os jovens estão começando a beber cada vez mais cedo, e que 56% dos adolescentes entre 13 e 15 anos já haviam provado alguma bebida alcoólica. Não é possível afirmar que sejam influenciados exclusivamente pelos pais, uma vez que os amigos e as redes sociais também pesam sobre as decisões nessa idade. Porém, como acredito que o exemplo é sempre a forma mais eficiente de ensinar alguma coisa, não descarto que presenciar os adultos bebendo com frequência e em excesso os influencie a começar a beber cedo. Os jovens aprendem a associar bebidas alcoólicas com diversão, alegria ou como antídoto para cansaço ou estresse no dia a dia. Por outro lado, se a mensagem que recebem dos pais é de que beber desencadeia irritação e agressividade, o tom de voz sobe, discussões e brigas acontecem por qualquer coisa e a pessoa pode "apagar" ou não se lembrar do que faz sob o efeito do álcool, é provável que, com o tempo, a criança crie uma postura de evitar as bebidas para não repetir esse modelo.

Há muita coisa que ainda não sabemos sobre os efeitos do álcool e outras drogas no organismo, inclusive remédios e maconha, cujo uso recreativo, legalizado em vários países nos últimos anos, pode levar a crer que é mais inofensiva do que realmente é. Além disso, lidamos o tempo todo com um volume incontrolável de desinformação que induz pessoas ao uso inapropriado de substâncias na busca de prazer momentâneo e outras sensações que ofereçam algum escapismo. A seguir, esclareço alguns mitos e crenças que persistem e contribuem para o grande estrago que o uso inadequado de substâncias para se sentir melhor e produzir mais pode trazer à vida e à saúde das pessoas.

Álcool não funciona para melhorar o sexo

No imaginário de algumas pessoas a bebida tem uma função importante nas preliminares, como se fosse um afrodisíaco. É verdade que uma ou duas doses podem até ajudar a descontrair, facilitar a desinibição e a conquista e deixar as pessoas um pouco mais soltas para aproveitar o encontro, principalmente quando não existe envolvimento afetivo. Mas nenhuma bebida melhora a vida sexual de ninguém. Exagerar na quantidade ou, pior, usar álcool sempre que for transar, como se fosse um remédio para aumentar a libido ou incrementar a performance na cama, não faz sentido. O mais provável é que ocorra o contrário. Por sua ação depressora do sistema nervoso central, o álcool em alta concentração no sangue diminui a excitação e a chance de sentir prazer.

Beber demais também aumenta a exposição a comportamentos sexuais de risco e pode deixar algumas pessoas mais violentas, pois provoca alterações em áreas cerebrais relacionadas a agressividade e impulsividade. Pode ainda favorecer relações sem proteção ou com desconhecidos, elevando o perigo de transmissão de infecções sexualmente transmissíveis (ISTs) e gravidez indesejada. Em situações extremas pode haver o que chamamos de amnésia alcoólica ou blecaute alcoólico: o indivíduo age sob o efeito do álcool e simplesmente não se lembra de nada depois porque o cérebro, intoxicado, não forma memórias desses eventos.

Cerveja pode ser tão nociva quanto outras bebidas alcoólicas

Esta é uma dúvida recorrente no consultório, por incrível que pareça: cerveja conta como bebida alcoólica? Na lógica de quem faz essa pergunta, o álcool está somente na cachaça, no uísque, no gim ou na vodca, mais fortes. Não é verdade. Como o teor alcoólico da cerveja é baixo em comparação com os destilados e, portanto, a pessoa demorar mais para ficar embriagada, muitos acreditam que essa bebida não traz malefícios e que está tudo bem ingerir grandes quantidades. Não é verdade: cerveja pede as mesmas moderação e consciência no consumo que qualquer outra bebida. Tanto é assim que nos tratamentos em que é preciso cortar a ingestão de bebidas alcoólicas, mesmo a versão sem álcool deve ser eliminada. Em parte porque o processo de reeducação inclui aprender a falar não para todo e qualquer drinque, mas também porque a espuma que se forma na borda do copo quando o líquido é servido é resultado do processo de fermentação de açúcares dos ingredientes e contém etanol, ainda que em quantidade mínima.

Álcool não aquece o corpo

A crença de que tomar uma dose de conhaque ou cachaça ajuda a espantar o frio não tem fundamento – nenhuma bebida alcoólica, destilada ou não, tem o poder de elevar a temperatura corporal. Apesar da sensação de que o corpo fica mais quente depois de bebermos quando sentimos frio, o que ocorre é um desvio de calor dos órgãos vitais para a região superficial (a pele). Esse é um mecanismo natural de adaptação ao ambiente externo, a fim de manter o corpo em sua temperatura ideal. (Outra estratégia do organismo para produzir calor e evitar que sintamos frio são os tremores, por exemplo.) Como o álcool tem ação vasodilatadora (expande o calibre dos vasos sanguíneos), mais sangue passa a circular pelo corpo quando bebemos, o que dá a sensação de aquecimento, mas passa logo. A impressão de que destilados esquentam costuma ser, na verdade, sintoma da queimação na região por onde passa o álcool ingerido, o esôfago e o estômago. Em dias de frio extremo e em países que enfrentam temperaturas muito baixas, o consumo excessivo de álcool pode ser fatal: se a pessoa ficar no relento, corre o risco de morrer por hipotermia, que é o esfriamento do corpo até a perda dos sentidos e da capacidade de realizar suas funções.

O consumo de líquidos aquecidos, como chá, chocolate ou leite, isso, sim, aquece quando estamos com frio.

Drogas para aumentar a produtividade não tornam você mais produtivo

Existe hoje uma epidemia de uso abusivo de estimulantes da família das anfetaminas por estudantes, concurseiros e profissionais de diversas áreas. Eles consomem essas drogas como estratégia (equivocada) para melhorar o desempenho cognitivo e produzir intensamente em meio a pressão por resultados, prazos curtos e sobrecarga de tarefas. As substâncias mais comumente usadas para esse fim são drogas legais, indicadas para pacientes com transtorno de déficit de atenção e hiperatividade (TDAH) e eficientes quando administradas por um médico especialista. O TDAH aparece na infância e geralmente acompanha a pessoa por toda a vida com sintomas como dificuldade de concentração, agitação e impulsividade, podendo atrapalhar o relacionamento com amigos e a família e o desempenho escolar. No entanto, pessoas que não têm o diagnóstico vêm fazendo uso irresponsável dos remédios com o objetivo de eliminar o cansaço, a dispersão e turbinar o rendimento nos estudos e no trabalho, medicando-se por conta própria e aumentando as doses sem qualquer orientação. O resultado é uma dependência fortíssima, crises de abstinência quando privados da medicação e perda de memória, atenção, raciocínio e eficácia porque corpo e cérebro ficam totalmente desregulados e desacostumados a funcionar sem esse estímulo. Atendo com frequência profissionais que tomam doses altas de anfetaminas e metanfetaminas e não trabalham melhor – muito pelo contrário.

Esse comportamento é um sintoma típico do nosso tempo: pessoas tentando resolver de modo artificial problemas que, na verdade, são devidos a desajustes psicológicos e dificuldade de entrar em contato consigo, seus limites e metas de vida. Todos nós estamos sujeitos a passar por fases assim, mas há meios mais efetivos, saudáveis e inteligentes de atravessá-las que não se entupindo de remédios e arriscando a saúde.

Analgésicos não são inofensivos

Nenhum medicamento é, mas aqui me refiro aos analgésicos opioides, que muitos procuram para fins não médicos, mais especificamente pela sensação de bem-estar e relaxamento que proporcionam. Estão nesse grupo a morfina e outros anestésicos que têm indicação legítima para o alívio de dores intensas – antes de cirurgias, para pacientes em tratamento oncológico, em caso de múltiplos traumatismos ou queimaduras extensas, por exemplo –, mas se tornam perigosos quando usados fora do contexto médico. Eles têm um enorme potencial de criar dependência, e em questão de dias de uso deixam de fazer o efeito inicial, obrigando a aumentar cada vez mais as doses.

Nos Estados Unidos, onde o acesso a opioides é menos controlado do que no Brasil, o consumo abusivo constitui uma emergência de saúde pública que chega a matar mais de cem pessoas por dia por overdose, normalmente em decorrência de parada respiratória. Aqui, pela facilidade de obter essas drogas em hospitais e unidades de saúde, médicos, anestesistas e profissionais de enfermagem são os mais vulneráveis a elas.

Um cirurgião me procurou para tratar a dependência em um tipo de anestésico opioide de uso injetável similar à morfina. Ele algum dia precisou usar a substância para tratar uma forte dor nas costas que o impedia de operar e logo ficou dependente. Primeiro, a utilizava para realizar cirurgias: antes de entrar no centro cirúrgico, injetava-se uma dose e em minutos sentia-se mais calmo, alerta e sem tremores nas mãos. Quando nos conhecemos, ele me contou que passava os dias praticamente sob o efeito do remédio. Para obter a droga, fazia acordos e chegava a oferecer dinheiro a colegas médicos e outros profissionais dos hospitais onde trabalhava. Se nada disso funcionava, peregrinava por prontos-socorros inventando dores insuportáveis e até que tinha câncer. Recomendei que ele parasse de operar naquelas condições, porque assumia um risco muito grande. Ele não aceitou, dizendo que esse era o maior prazer que tinha na vida, mas concordou em ficar um tempo internado. Foi quando presenciei fortes crises de abstinência: ele suava, encolhia-se com dores nas articulações, os pelos do corpo ficavam eriçados, o nariz escorria sem parar e os olhos lacrimejavam. Ficou um tempo sem usar o anestésico, mas deixei de ter notícias dele depois de algumas sessões.

A dependência em opioides é uma das mais difíceis de abandonar, tanto quanto a do crack. Mesmo médicos relutam em prescrevê-los a pacientes. Eu e os da minha equipe somos muito econômicos na prescrição. Se puder não receitar, melhor.

Experimentei morfina uma vez, sem saber. Foi há alguns anos, quando fraturei o pé em um acidente feio de moto e precisei ser operado. Acordei do procedimento me sentindo como se estivesse no céu; não me lembro de ter experimentado sensação parecida nem antes nem depois daquele dia. Ao primeiro sinal de dor pela cirurgia, natural à medida que a ação do opioide passa, pedi ao médico que me desse outro remédio daquele, pois o efeito era ótimo. Ele recusou alegando justamente que eu poderia ficar dependente com mais uma dose.

Fumar maconha causa dependência, sim

Só pensa o contrário quem não atende diariamente no consultório pessoas com dificuldade de parar de fumar mesmo sabendo que deveriam e que não veem graça nas coisas se não estão sob o efeito da erva – isso caracteriza a dependência. O uso legalizado, o fato de ninguém ter overdose de *Cannabis*, ao contrário do que ocorre com o álcool e outras drogas, e o de que muitos usuários regulares conseguirem se manter parcialmente produtivos no trabalho, cuidar da família e ter uma vida social satisfatória dão a impressão de que ninguém fica dependente, mas pode acontecer. Os efeitos da maconha são apenas mais sutis do que os de bebidas e drogas sintéticas.

O crescente interesse das pessoas pela *Cannabis* para relaxar se deve ao fato de ela conter basicamente duas substâncias: o tetra-hidrocanabinol (THC), componente psicoativo que gera a sensação prazerosa de "brisa" e leva à dependência, e o canabidiol (CBD), que possui propriedades medicinais comprovadas para tratar casos de ansiedade, distúrbios do sono e epilepsia, aumentar o apetite em pacientes em quimioterapia e radioterapia e aliviar dores crônicas em quadros terminais de câncer. O potencial de gerar dependência varia conforme a concentração de THC na maconha, que circula entre nós em três versões: a que vem prensada no formato de um tijolo (a mais popular, barata e normalmente de pior qualidade), o *skank* (com maior teor de THC e canabinoides e efeito mais potente) e o haxixe (de consistência oleosa, costuma ser fumado misturado aos outros tipos por causa da alta concentração de THC).

Quanto mais cedo alguém adota o hábito de fumar maconha, por mais tempo estará expondo o cérebro às substâncias e maior será a probabilidade de ficar dependente. Pais precisam saber disso, principalmente aqueles que têm uma visão moderna ou romântica de que ensinando os filhos jovens a fumar e fumando junto deles em casa irão educá-los para evitar o uso excessivo. Hoje sabemos que fumar maconha tem grande impacto no cérebro de adolescentes, que está em formação. O consumo precoce aumenta as chances de desenvolverem problemas cognitivos, como perda de memória, e a chamada síndrome amotivacional, que os deixa "lesados", como eles mesmos dizem, sem motivação para fazer nada.

Maconha pode aumentar, em vez de diminuir, a ansiedade

O mesmo baseado pode provocar sensações completamente distintas em pessoas diferentes. Enquanto algumas ficam alegres e relaxadas, outras podem se sentir ansiosas e até paranoicas. Pode ocorrer, ainda, de o mesmo indivíduo que está acostumado e gosta de fumar maconha por seu efeito tranquilizante ter uma experiência ruim de uma hora para outra, dependendo do momento de vida. Não é possível afirmar por que isso acontece no nível cerebral, mas é algo observado quando o usuário está atravessando alguma fase de maior tensão, seja por insatisfação ou excesso de trabalho, problemas no relacionamento ou na família ou outros fatores. Todas as drogas podem ter efeitos imprevisíveis e gerar experiências desagradáveis, não só de prazer e bem-estar.

Cuidado para não virar um porre por causa da bebida

NIZAN GUANAES

É público que eu tive um problema com bebida alcoólica decorrente de uma cirurgia bariátrica que fiz sem qualquer preparo. Só não virei alcoólatra por um detalhe: não gosto de beber. Não posso jogar no colo do médico que me operou a culpa do que aconteceu comigo. Ele me avisou de cara: "Nizan, você bebe? Porque se bebe, eu não vou te operar." Como eu nunca fui de beber, obviamente disse que não e fui operado. A bariátrica é uma ótima solução para quem, como eu, já estava sofrendo de obesidade mórbida. O nome diz tudo: mórbida. Ela é indicada para quem, como eu, vem de uma família com pai e vários tios que morreram de infarto. Pesando 130, 135, 140 quilos, eu nem olhava mais a balança, mas sabia que precisava fazer alguma coisa urgentemente. Tomei a medida certa de um jeito errado, sem qualquer planejamento antes e sem os cuidados que deveria ter tido depois, como apoio psicológico, um programa de esporte e o acompanhamento de um nutricionista.

Com a bariátrica, aquele vinho branco gostoso que eu sempre tomei fazia um efeito elevado à décima potência. No início é um porrezinho numa festa. Depois, começa a ser um porre num jantar de negócios na quarta-feira. Aí, um ano depois da operação, aquilo começa a afetar a família, o casamento, a empresa.

Uso nocivo de álcool é fácil de reconhecer com um olhar honesto. Você tem um problema quando o consumo começa a sair do fim de semana e invadir a semana. Se daqui a pouco você não sabe mais se divertir sem ele. Também é um problema quando a bebida deixa de ser um prazer para ser um remédio – para relaxar, para dormir, para fazer com que a cabeça pare de pensar. Só que enquanto você relaxa sua família e seus amigos ficam tensos. Portanto, não é a melhor maneira de relaxar.

A bebida foi feita para o homem. É uma coisa maravilhosa, mas o homem não foi feito para a bebida. E quando a pessoa vira um porre, toda a beleza do vinho faz com que ele se torne uma ameaça à sua vida. Espero que este capítulo tenha chamado sua atenção caso você comece a se reconhecer em certas situações que descrevo, ou a reconhecer seu marido, seu filho ou um amigo nessa situação. Só existe uma maneira de resolver o problema: encarando-o. Quando ele começa a comprometer a empresa que você lutou tanto para construir, quando começa a comprometer seu casamento, quando seus filhos, que sempre sentiram orgulho de você, passam a ficar tensos e decepcionados naquele almoço de família, pare de negar o problema e diga: "Chega!" Quem me curou desse comportamento não foi o psiquiatra Arthur Guerra, fui eu. Foram minhas pernas que me levaram ao consultório dele e foi meu o arbítrio de seguir suas recomendações pra valer.

Washington Olivetto, o maior publicitário de todos os tempos, que ficou três meses sequestrado nas condições mais desumanas, me disse uma frase inesquecível numa live em que o entrevistei sobre o sequestro: "Nizan, eu só sobrevivi porque ficava pensando nas pessoas amadas para quem eu tinha que voltar." Fiz o mesmo quando decidi começar a me cuidar: pensei nas pessoas amadas, por quem eu tinha que voltar a ser Nizan. Com a mesma determinação que fez de mim uma pessoa de sucesso, eu decidi ser um sucesso de pessoa aos olhos da minha família.

Você vai ter que enfrentar seu sabotador interno, que nega o problema, inventa desculpas, posterga a solução. Mas igualmente difícil é lidar com os sabotadores externos. Um número significativo de pessoas tem um problema velado com álcool, comida e remédios para dormir. Como elas mesmas não admitem que estão abusando, acabam, ainda que inconscientemente, boicotando a decisão de quem deseja se cuidar com perguntas do tipo "Você não está bebendo nada?", "Você não bebe?", ou "Você não bebe por quê?". São perguntas que deveriam estar fazendo a si mesmas. Não dê ouvidos a esse canto de sereias, a esses sabotadores amigos. Não é porque a sociedade atual tem problemas com álcool, com comida, com o sono e com o sedentarismo que você vai se descuidar para ser uma pessoa "normal".

Eu sempre gostei de ser diferente, de caminhar contra o vento. Não para ser melhor que ninguém, mas para ser eu mesmo, pensar com a própria cabeça. Aprender a comer, beber, dormir e meditar é a maior revolução dos dias de hoje. E a melhor maneira de deixar de ser algo é virar outro algo. Hoje eu sou atleta, sou triatleta e sou maratonista. Para ser atleta eu preciso treinar. E para treinar eu preciso dormir, comer disciplinadamente e controlar o peso.

O esporte me levou a conhecer muitas pessoas que acordam cedo, enfrentam o frio, invadem os parques e viajam com balança na mala. Mais de 50 mil correndo a Maratona de Nova York, e milhões e milhões pelo mundo fazendo corridas toda manhã, do calor da Austrália ao frio da Patagônia. No início, os amigos e conhecidos olham para você com pena. Depois, com desconforto. E, depois de certo tempo, com admiração. Muitos se inspiram em você também.

Depois de mim, Donata começou a fazer esporte, meu irmão virou maratonista e dezenas e dezenas de pessoas que me seguem no Instagram se lançaram nesse caminho. Este livro, escrito com muito amor, é para arrastar você também para o esporte, independentemente de ter ou não um problema com álcool, com comida ou qualquer outra compulsão moderna. Pode acreditar, acredite e siga em frente. Minha vida mudou da água para o vinho quando eu mudei do vinho para o Gatorade.

Sua vez

ARTHUR GUERRA

Todos os dias fazemos escolhas que definem quem somos e a vida que levamos. De decisões sobre o que comer e o que consumir àquelas que dizem respeito a nosso trabalho e nossa carreira, ao que fazemos com nosso dinheiro, a como empregamos nossos tempo, energia e afeto. A felicidade também é uma escolha diária, feita de cada uma das pequenas e grandes atitudes que tomamos em nossa rotina. No entanto, vejo muitas pessoas constantemente empurrando para o futuro o dia em que, enfim, serão felizes. Criamos a ilusão de que esse dia chegará quando alcançarmos algo especial: mais dinheiro, um emprego melhor, a aposentadoria, um parceiro ou parceira que nos complete, um corpo mais magro, férias, milhões de seguidores nas redes sociais. Acreditamos que estaremos realizados quando tivermos mais sucesso. Na verdade, ocorre o oposto: quanto mais satisfeitos estamos com o que somos e temos, mais perto chegamos de ser bem-sucedidos em todas as áreas da vida.

Enquanto não nos dermos conta disso, perderemos o único momento em que podemos de fato fazer algo pela nossa felicidade: agora. Ou a deixaremos escapar porque não acreditamos que ser feliz pode ser tão simples quanto dormir uma noite inteira, comer uma comida gostosa ou dar risada com os amigos, mas é. É isso que espero que você tenha entendido se chegou até aqui.

Escolhas trazem responsabilidade, o que nos estressa e pode amedrontar. Por isso muitos preferem continuar onde estão ou adiam o primeiro passo mesmo sabendo que precisam mudar. Todos nós queremos conquistar sucesso e coisas boas na vida, mas a maioria não está disposta a pagar o alto preço que isso custa. Se felicidade para você é ter um carro de luxo e pode comprá-lo, ótimo. Mas precisa considerar os gastos com manutenção, impostos e acessórios caros e dispor de uma garagem onde possa guardá-lo. Senão em algum momento começará a ter problemas para rodar com ele. Se seu sonho é abrir a própria empresa, deverá recolher taxas, registrar empregados e organizar as finanças. Não dá para ficar só com a parte boa.

Na preparação para o esporte e no cuidado com a saúde mental também funciona assim. Para cruzar a linha de chegada e alcançar as coisas boas que nos esperam lá na frente – uma vida mais saudável e significativa – temos que encarar o percurso, mesmo sabendo que pode haver sacrifício, dor e desânimo. Da mesma forma que é preciso atravessar o deserto para chegar ao oásis.

Este livro é sobre a importância de desenvolver autodisciplina na travessia, algo que precisa existir em todo processo de mudança. Autodisciplina é a capacidade de se impor disciplina, física e mental, para persistir naquilo que precisa ser feito para chegar aonde se deseja. Quando o objetivo é ganhar qualidade de vida e melhorar a saúde mental, a decisão de criar uma rotina com bons hábitos (e perseverar nela apesar do esforço) é a melhor que se pode tomar. Para quem convive com um transtorno psiquiátrico que demanda tratamento de longo prazo ou permanente, como milhões de pessoas que têm depressão, é o que pode garantir que tenham uma vida rica e produtiva, formem família e possam cuidar dela, consigam se relacionar e, muito importante, deem o exemplo de que são capazes de ter o controle da própria vida e dar a ela um rumo positivo, de crescimento.

Quando proponho que meus pacientes comecem a fazer esporte e se cuidar mais, muitos deles, fragilizados e inseguros, perguntam: "Mas você garante que vai dar certo, doutor?" Ao que respondo que não, não posso garantir nada, cada um terá que tentar. Mesmo contando com a orientação e o apoio do psiquiatra e de outros profissionais para abandonar antigos comportamentos e pegar um novo caminho, não temos como saber se ele será de calmaria ou tempestade, de sucesso ou fracasso. É preciso assumir o risco e se responsabilizar pelos resultados. Só assim nos desenvolvemos, ficamos mais fortes e nos tornamos donos de nossa vida.

Ser feliz, afinal, pede coragem. Coragem para trabalhar com o que se gosta respeitando seus limites. Para comer sua comida preferida sem culpa. Para amar sem sofrer nem causar sofrimento e seguir aprendendo coisas novas sobre si e sobre o mundo. A felicidade não é um fim ou um lugar aonde se pode chegar, mas uma experiência a ser vivida dia após dia. É o próprio percurso. Assim como fazendo exercícios desenvolvemos o fôlego e os músculos, praticando a felicidade diariamente ficamos craques nela.

Então, você aguenta ser feliz?

Você é o próximo capítulo deste livro

NIZAN GUANAES

Uma vez, conversando com Arthur Guerra, eu disse a ele: "Guerra, você me curou." Ele respondeu: "Nizan, você se curou." Este livro não fará nada de mágico por você. Você é quem fará. É o que você faz depois do livro que determinará o sucesso deste livro. Você decide se ele vai para a sua estante ou se vai para a sua vida. É por isso que este livro não tem epílogo. Você é o próximo capítulo.

Livro de autoajuda não ajuda em nada se os leitores esquecem que antes da palavra "ajuda" vem o prefixo "auto". Portanto, eu o aconselho a ler, reler e depois ler um capítulo aqui e outro ali. E reler toda vez que sentir que precisa. Espero que você tenha tanto prazer em lê-lo quanto nós tivemos em escrevê-lo. Deu prazer, mas deu também muito trabalho. Arthur precisou escrever e reescrever até que sua mensagem ficasse compreensível, clara e boa de ler.

E vamos combinar que a agenda do cara é superocupada, assim como a minha. Portanto, a falta de tempo para praticar o que falamos no livro é uma desculpa que você não vai mais poder usar. Aliás, o maior inimigo deste livro e da mudança que ele prega é o sabotador interno que todos nós temos. Seu sabotador vai dizer que você não tem tempo. Vai dizer que esse tratamento é para quem tem a grana de um publicitário premiado. Seu sabotador vai dizer: "Correr, fazer maratona e triatlo é impossível para você." Mas eu digo ao seu sabotador que todo mundo, praticamente todo mundo, consegue fazer uma corrida, uma maratona ou um triatlo. O que as pessoas não conseguem é fazer os treinos da corrida, da maratona e do triatlo com a perseverança necessária. Porque demandam tempo, dedicação e, sobretudo, saco.

Uma das coisas que mais me impressionaram na vida foi uma foto do dalai-lama fazendo esteira. Ela me fez pensar que, se ele tem tempo, qualquer um de nós também tem. Afinal, o cara comanda uma religião, viaja pelo mundo, luta contra a China, medita seis horas por dia e ainda sobra tempo para fazer esteira diariamente. Você também tem tempo.

O seu sabotador interno vai dizer que para treinar tem que ter treinador, mas as pessoas que fazem os melhores tempos nas provas mais difíceis do mundo não têm dinheiro para pagar um treinador. Muitos não tinham nem tênis quando começaram. Corrida e maratona são esportes dominados por africanos de origem muito humilde. Alguns dos melhores atletas olímpicos do Brasil são ou já foram muito pobres, e treinaram em condições precárias. Além disso, não faltam vídeos sobre treinos e aulas de várias modalidades na internet. Eu odiava tudo que o Arthur me propôs fazer, mas mesmo assim fiz. Tive um grande amigo, paciente de Arthur Guerra, exatamente como eu, que não teve garra para dar uma virada na vida dele. E morreu jovem, bonito e rico.

Portanto, vai que dá. Passamos meses escrevendo, cortando e refazendo este texto por você. Eu estou me despindo e expondo meus defeitos, fraquezas e vícios. As pessoas gostam de falar bem de si; falar mal de si mesmo é uma raridade. Não é fácil falar de problemas pessoais nesta sociedade da perfeição e da felicidade eterna do Instagram e das redes sociais. Mas essa é uma promessa que fiz a mim mesmo, deitado no sofá em minhas noites de depressão, nas noites de insônia, desanimado e desmamando de remédios para dormir. Na minha longa e solitária noite andando no deserto rumo à terra prometida, jurei para mim mesmo que usaria meu talento de comunicador para difundir esse caminho escrevendo um livro. Aqui está ele. Arthur Guerra e eu fizemos a nossa parte. Agora, meu amigo, começa a sua. Mãos à obra.

Você aguenta ser feliz?

Ser feliz é quase uma dieta, uma alimentação balanceada da alma.

Eu fiz uma cirurgia bariátrica há muitos anos, de maneira estabanada, para me livrar dos meus antigos 150 quilos. Meu pai morreu do coração aos 45 anos, e eu não podia continuar com aquele peso. O médico diz que você vai poder comer de tudo. O problema é que você passa a beber de tudo também.

Eu quase virei alcoólatra. O que, aliás, acontece com muitas pessoas que fazem bariátrica sem se preparar antes e sem supervisão depois. E foi para cuidar dos meus excessos – de cigarro, bebida, café, refrigerante e remédios para dormir – que eu, graças a Deus, conheci o médico psiquiatra Arthur Guerra. Ele transformou a minha vida não me entupindo de mais remédios, mas tirando os remédios e me entupindo de esportes.

Guerra me botou para fazer triatlos e maratonas e me fez descobrir um mundo que acorda às 5 da manhã e dorme, exausto e feliz, às 10 da noite.

Mas, de tudo que Arthur Guerra me ensinou, nada é mais brilhante do que a pergunta dele que eu coloquei em cima da minha mesa de trabalho e a que tento responder todos os dias: "Nizan, você aguenta ser feliz?" Esta, querido leitor e querida leitora, é a pergunta que dou de presente de Ano-Novo depois de um ano de tantas tristezas, mas também superações: "Você aguenta ser feliz?"

A pessoa luta para alcançar determinados objetivos na vida e, se e quando consegue atingi-los, quer mais e mais. A gente sonha com uma meta e, quando chega lá, começa a sofrer atrás de outra mais distante. Pedimos aos céus o que não temos em vez de agradecermos o que já temos. E, quando alcançamos o que tanto queríamos, aí queremos neuroticamente um novo objetivo. Ou seja, estamos sempre deixando para ser feliz na próxima conquista. Isso pode ser (e é) motivador, mas muitas vezes é enlouquecedor também.

Então meu ponto aqui é que a felicidade, como tanta coisa nessa vida, é uma questão de disciplina.

O dalai-lama diz que a felicidade é genética ou treinada. E de fato tem gente que é feliz por natureza. Para nós, a grande maioria, ela é uma conquista. É como se fosse uma outra carreira, interna: administrador de si mesmo.

E essa pessoa insaciável retratada nesta coluna está, em maior ou menor grau, dentro de todos nós. Os felizes não a escutam muito. Os infelizes são dominados por ela.

Esse comportamento nos leva a fazer duas coisas que são absolutamente inúteis: tentar corrigir erros que ficaram no passado e postergar a felicidade para conquistas que enxergamos no futuro. É como passar 2021 tentando corrigir os fracassos de 2020 ou adiando a felicidade para 2022.

Por isso a pergunta é necessária. Será que você aguenta ser feliz? Até porque as melhores coisas da vida não têm preço: amor, família, amigos, fé, respiração.

Ser feliz é quase uma dieta, uma alimentação balanceada da alma. Que mistura bens materiais e, principalmente, imateriais.

Essa é uma reflexão para você, pessoa física, mas que pode ajudar muito a pessoa jurídica. Por isso Harvard tem tratado tanto da administração da pessoa ao tratar da administração da empresa.

O que desejo a você, leitor, é o que eu me desejo em 2021 e será o meu desafio diário: que você lute para ser as coisas que queira ser, mas não despreze o que foi conquistado, o que já é. E que viva 2021, não 2020 ou 2022.

Até porque o ano que começa será, tem que ser, um ano de cura, de vacina, de virada e de vida. 2020 foi um ano de grande tristeza. De muitas perdas. De muitas e duras lições.

Ficamos desesperados e muito tristes, e essa tristeza era inevitável. Mas a vida precisa da felicidade, e a felicidade precisa da vida.

Feliz ano novo!

NIZAN GUANAES
Artigo publicado na Folha de S.Paulo
em 28 de dezembro de 2020

Agradecimentos

ARTHUR GUERRA

Agradeço ao time de profissionais da Clínica Arthur Guerra, em especial àqueles que cuidam diretamente de Nizan Guanaes – com uma equipe assim, não há como não ser campeão:

Camila Magalhães, médica psiquiatra, é quem faz o controle rigoroso dos medicamentos que Nizan usa. Minha sucessora natural é uma profissional e uma pessoa em quem confio total e absolutamente. Não à toa, é minha sócia em outro empreendimento, a Caliandra Saúde, empresa que cuida da saúde mental no ambiente corporativo. Temos uma forte relação que vai além da medicina: eu e Daniela, minha esposa, somos seus padrinhos de casamento. Muito antes disso, Camila foi dama de honra no meu primeiro casamento.

Cristiana Renner, psicóloga com doutorado pela Unifesp, tem uma formação consistente em terapia de família e trabalha comigo há mais de dez anos. É quem escuta e cuida dos conflitos mais íntimos de Nizan e tem um papel determinante no sucesso de seu tratamento. Além disso, é nadadora semiprofissional.

Eduardo Rocha, personal trainer conceituado que está em minha clínica há 14 anos, foi quem introduziu Nizan em sua rotina de esportes e o preparou para as três maratonas que correu até hoje. Trabalha também com a prática de xadrez como ferramenta para melhorar aspectos cognitivos de pacientes.

Marina Martins, professora de meditação e responsável por levar mais calma não apenas à rotina de Nizan, mas de toda a clínica com as práticas coletivas que conduz antes de nossas reuniões.

Samara Guerra, médica nutróloga com profundo conhecimento sobre alimentação e sensibilidade para identificar as vulnerabilidades e os desejos dos pacientes, cuida de Nizan com atenção e paciência.

Todos respondem, em última instância, a mim; eu, na verdade, apenas faço a coordenação das atividades para que, na tentativa de ajudar, um colega não acabe atrapalhando o outro neste trabalho que é coletivo. Cada um, fazendo seu papel, é muito melhor do que eu. Nesse time de profissionais interessantes e interessados, quando alguém está desmotivado, entendo que o problema sou eu: afinal, quando o maestro falha, toda a orquestra desafina.

Rodrigo Taddei, técnico de triatlo, foi o primeiro que acreditou no meu potencial e me incentivou a ir além das maratonas. Hoje também é técnico de Nizan.

E Jorge Pacheco, personal trainer da equipe de Rodrigo Taddei, experiente, paciente e sempre bem-humorado, cuida dos seus treinos de musculação e aeróbicos.

Para saber mais sobre os títulos e autores da Editora Sextante,
visite o nosso site e siga as nossas redes sociais.
Além de informações sobre os próximos lançamentos,
você terá acesso a conteúdos exclusivos
e poderá participar de promoções e sorteios.

sextante.com.br